«При всей внешней похожести на тонны современной криминальной литературы такого в России еще не было. Книги написаны необычайно талантливым человеком и читаются на одном дыхании...»

Газета «Версии»

«...проза Шелестова не тем хороша, что автор декларирует свое знание российского бизнеса, а что он еще умеет выдумывать. Развязка романа неожиданна и свежа. Хоть один персонаж взбрыкнул и повел себя почти независимо... От среды, обязанностей, от своего создателя, наконец... А то все акции, доллары, кабинеты, голые девки в бане — девяносто процентов сегодняшней нашей прозы все об одном и том же...»

Владимир Соболь, журнал «Звезда»

«...С одной стороны, перед нами классический полубандитский боевик с, надо отдать должное, очень умело закрученной интригой, что для «коммерческого чтива» редкость. Вроде все понятно — торная дорога в книжную серию «Братва» с окровавленной финкой на обложке. Ан нет, не лезет. «Укротитель кроликов» детектив примерно в той же степени, в которой, к примеру, им является «Вся королевская рать». В общем, Джек Берден, русская версия...»

Вадим Нестеров, «Газета.Ru»

«...Иное дело, если это никакой не проект, а отставной консильори какого-нибудь, допустим, Невзлина, «по принципиальным соображениям» разошедшийся с боссом и теперь осуществляющий «китайскую месть». Тогда возникает вопрос: а доживет ли до третьего тома сам Шелестов? По логике его собственного повествования получается, что не доживет, потому что его уберут из сугубо корпоративных соображений: не выноси сор из избы...

Но мне почему-то кажется, что все закончится к всеобщему удовольствию...»

Виктор Топоров, деловая газета «Взгляд»

УКРОТИТЕЛЬ КРОЛИКОВ

КИРИЛЛ ШЕЛЕСТОВ

ЗАХАРОВ • МОСКВА

УДК 882-31
Ш 42

А.В., с неизменным восхищением

Дизайн обложки:
Евгений Райцес
Матвей Евстигнеев

Ш 42 Шелестов К. Укротитель кроликов: Роман. — М.: Захаров, 2006. — 208 с.

Захватывающий остросюжетный роман «Укротителе кроликов» — первый из трилогии Кирилла Шелестова.

Череда убийств бизнесменов и криминальных авторитетов, хитросплетение политических интриг правящей верхушки, бесшабашные оргии новых русских, их быт и обычаи, — все это описывается автором с блестящим остроумием и несомненным знанием тайных пружин, тщательно скрываемых от посторонних глаз.

Непредсказуемые повороты сюжета и сенсационные разоблачения делают романы Кирилла Шелестова подлинным шедевром детективного жанра и заставляют читать их на одном дыхании.

Автор, скрывающий свое имя под псевдонимом, сам прошел путь, ведущий к вершинам богатства и власти, участвовал в политических баталиях и переделах собственности. Изображаемая им закулисная жизнь новых правителей России поражает точностью деталей и убийственным сарказмом.

ISBN 5-8159-0608-5   УДК 882-31

ГЛАВА ПЕРВАЯ

1

Я не люблю человечество. Особенно по понедельникам. По понедельникам его несовершенство бросается в глаза. И не только потому, что оно слишком много выпивает накануне.

А потому, что в начале каждой недели мой шеф, Владимир Храповицкий, собирал всех директоров своей стремительно разраставшейся империи и подвергал их унизительной порке, именуемой во внутренних протоколах расширенным производственным совещанием.

Сценарий вкратце выглядел так. Сначала каждый из директоров делал доклад, в котором с несколько натужным энтузиазмом повествовал о выдающихся успехах вверенного ему подразделения. Храповицкий обычно слушал сочувственно, но в своем блокноте почему-то рисовал виселицы.

Когда картина наших свершений становилась такой грандиозной, что даже мне, далекому от производственных проблем, хотелось грянуть гимн в составе Краснознаменного хора, шеф брал слово. Его речь обычно делилась на две части. В первой он оценивал общую ситуацию в подвластном ему мире как крайне неудовлетворительную. Эта часть была неизменной.

Во второй он переходил к характеристикам присутствующих. Излишне говорить, что характеристики были не из тех, что с радостью заносятся в послужной список. Зато здесь возможны были импровизации на тему сложных способов появления на свет подчиненного Храповицкому народа.

В заключение народ дружно благодарил за критику, признавал свои ошибки и обещал не щадить себя. На благо справедливого и всеми любимого начальника и в целях личного обогащения. Все это занимало в общей сложности от двух с половиной до трех часов, в зависимости от приливов начальственного вдохновения.

И хотя за два года работы мне ни разу не приходилось бывать объектом экзекуции, упомянутое зрелище наполняло меня унынием.

Я не мучил кошек в детстве. В отличие от большинства людей чужие страдания не приносят мне облегчения.

Владимиру Храповицкому недавно исполнилось тридцать семь лет. Он был русским по отцу, евреем по матери и деспотом по природе.

Совещание обычно назначалось на десять. Но на моей памяти оно ни разу не началось вовремя. Поэтому из своего кабинета я вышел в четверть одиннадцатого и отправился в крыло шефа, стараясь выглядеть бодро и жизнерадостно.

Весь длинный коридор в его крыле, где я наотрез отказывался размещаться, был заполнен толпой начальников, чьи угрюмые лица контрастировали с жизнеутверждающим желтым цветом обоев на стенах. В дни истязаний им полагалось собираться заранее и в парадном облачении: темные костюмы и галстуки. В преддверии своей скорбной участи они томились, вздыхали и, разбившись на группки, негромко переговаривались.

Когда я входил в огромную пустую приемную, кто-то спрашивал секретаршу Лену заискивающим шепотом:

— Ну, что там слышно?

Лена, надменная, худосочная девица в огромных роговых очках, с капризным ртом и пышными светлыми волосами, отвечала с привычным раздражением:

— Говорю вам, он занят. Ждите. Лучше не злите его, а то будет как в прошлый раз.

В прошлый раз директоров продержали в коридоре больше часа, после чего Лена злорадно объявила им, что совещание отменяется.

Весь тот час мы с Храповицким вдвоем смотрели кассету с записью выездного матча нашей городской баскетбольной команды, которую он содержал. Матч проходил в Петербурге, и питерцы обошлись с нами без сострадания. Хотя наш позор был уже широко растиражирован всеми спортивными газетами страны, просмотр так расстроил шефа, что он решил обойтись без совещания, дабы кого-нибудь ненароком не уволить.

Не то чтобы он совсем не уважал своих директоров. Просто он считал, что подчиненных необходимо держать в строгости. А за те деньги, что они у него воруют (я обычно выражался более деликатно и говорил «получают», хотя суть от этого, конечно же, не менялась), они могут и потерпеть. Директора, собственно, терпели.

В стенах фирмы вообще было не принято роптать. Поскольку даже уборщицы знали о спрятанных по всему коридору «жучках» и о том, что каждое неосторожное слово записывается отделом безопасности, а потом доводится до сведения Храповицкого.

Об этом позаботился один из двух его партнеров, Виктор Крапивин. Виктор был помешан на подслушивании. Он установил микрофоны в квартирах всех своих жен и любовниц и уговаривал нас сделать то же самое. Храповицкий, кажется, внял. Я отказался. Зачем? Во-первых, в детстве меня учили, что подслушивать некрасиво. А во-вторых, всякий раз, когда я нарушал это правило, я убеждался в том, что ничего хорошего о себе все равно не услышишь. А плохое про себя я и так знаю.

К тому же я все равно хуже, чем обо мне думают. Серьезно.

2

Итак, я прошел по коридору и сочувственно пожал руки угнетаемому директорскому сословию. Все они называли меня по имени-отчеству, Андреем Дмитриевичем, что свидетельствовало не столько о моем авторитете, сколько о моей близости к начальственному туловищу.

В приемной я ласково кивнул Лене и открыл дверь кабинета Храповицкого. Краем глаза я успел заметить, как Лену перекосило. Мне даже показалось, что ее очки съехали набок. Кроме партнеров шефа я единственный во всем холдинге пользовался привилегией входить в его кабинет без доклада и стука. За это попрание своих прав Лена меня ненавидела.

Иногда я подумывал о том, чтобы затащить ее в постель с единственной целью посмотреть, снимает ли она свои очки, оставшись голой. Кстати, в этом смысле я демократ. То есть, бывает, сплю и с секретаршами.

Храповицкий сидел вместе с Васей, точнее Василием Шишкиным, другим своим партнером, который еще три года назад был высокопоставленным чиновником областной администрации. И помог Храповицкому провернуть главную сделку их жизни.

Храповицкий был высокий, поджарый с крупными чертами лица, яркими ироничными черными глазами, густыми бровями, горбатым носом и широким чувственным ртом. Свои непослушные волосы он стриг коротко. Прическа открывала уши, маленькие, острые и прижатые.

Одевался шеф так, чтобы, если бы он был рок-звездой, ему можно было бы не петь. Достаточно было бы просто ходить по сцене. Экстравагантные вечерние костюмы от Версаче, прозрачные кружевные рубашки и шелковые шейные платки. Наверное, по его мнению, это добавляло колорита в скучные будни его подчиненных.

Обстановка в кабинете была под стать манере Храповицкого одеваться. Стены, выкрашенные в холодный ярко-синий цвет, упирались в пол, выложенный плитами из серого камня. Красные пластиковые кресла, мало приспособленные для того, чтобы на них сидели, и стеклянные столы, на которые невозможно было поставить чашку кофе, чтобы не оставить разводов.

Кабинет оформляла одна из подруг Храповицкого, считавшая себя современным дизайнером. Ее вкусом он искренне восхищался. Что до меня, то через полчаса пребывания здесь я испытывал приступы острой головной боли и нестерпимого желания признаться в чем-нибудь нехорошем, чего я, может, и не совершал вовсе. Полагаю, весь этот ураган цвета был ее изощренной местью Храповицкому за ее погубленную молодость.

Вася был самым старым из нас. Ему уже перевалило за сорок. Он тоже был высоким, еще выше Храповицкого, импозантным полнеющим мужчиной с благородной сединой в висках, грустными карими глазами и холеной благообразной бородкой. Никакой вольности в одежде Вася не признавал и носил только сшитые на заказ костюмы.

Трезвым я Васю не видел никогда. Да и не мечтал, хотя примерно раз в неделю он торжественно объявлял о том, что бросил пить, и настоятельно рекомендовал мне поступить так же. Я в рот не брал спиртного, но требовать от Васи, чтобы он запомнил что-то, непосредственно к нему не относящееся, было бы бесчеловечно.

Храповицкий и Вася были заняты важным делом: обсуждали возможность приобретения недвижимости в Монако. Собственно, обсуждал Вася. Храповицкий лишь вставлял какие-то реплики, раскладывал в компьютере пасьянсы и время от времени коротко отвечал на телефонные звонки.

Я поздоровался и уселся в кресло, игнорируя страдальческий взгляд шефа, в котором читалась просьба сделать с Васей что-нибудь плохое.

Вася между тем увлеченно листал каталоги с цветными фотографиями.

— Вот за этот дом, к примеру, просят всего шесть миллионов долларов. — Вася тыкал в картинку пальцем. — Ты только посмотри, какая красота!

Отчаявшись получить мою помощь, Храповицкий, наконец, вступил в беседу.

— Вася, — как ребенка начал уговаривать он. — В Монако скучно. Там не пьют по ночам, не заставляют телок раздеться догола в ресторане и не разбивают дорогие тачки о фонарные столбы. Ты там вымрешь, как мамонт, без привычной тебе обстановки. Представь, с утра и до вечера только ты и две твои жены. Все трое трезвые. Это же тюрьма, Вася. Ну зачем тебе тюрьма в Монако?

Перечень того, что запрещалось в Монако, был на удивление схож со списком последних Васиных подвигов. Но Вася предпочел этого не заметить.

— Как зачем? — горячился он. — Там все живут. Мадонна. Принц. Мне говорили в агентстве недвижимости. Приличные люди.

— Вася, посмотри в зеркало. Ты не похож на Мадонну, — резонно заметил Храповицкий. — У тебя даже музыкального слуха нет.

— А зато я себе герб заказал, — похвастался Вася, откидываясь в кресле и не без самодовольства поглаживая бородку. — Для своего дома на Кипре. Прибью прямо на входе.

— Какой еще герб? — не удержался я.

— Родовой, какой же еще! Дворянский!

— А ты разве дворянин? — удивленно поинтересовался Храповицкий.

— А черт ее знает! — пожал Вася плечами и провел ладонью по волосам, приглаживая и без того аккуратную прическу. — Может, и дворянин. Я же ни у кого не спрашивал. — Он подул на лацкан пиджака и смахнул несуществующую пылинку. — В любом случае герб-то не помешает. Солидно. Будет написано по-латыни: Шишкин. Василий. Золотыми буквами. На голубом поле. А по краям розы. Десятку баксов отдал специалистам по гербарике...

— По геральдике, — поправил я. — Наука о гербах называется геральдика. А гербарии дети в школе составляют.

— Хватит умничать, — отмахнулся Вася. — Дизайн-то я все равно оставил свой. Ну так что: берем?

Вася был поразительным идиотом. До серьезных дел Храповицкий его не допускал, если не считать серьезным делом вызов проституток для массовых гуляний.

И хотя о том, что творится на фирме, Вася имел представление самое смутное, жажда деятельности его порой распирала. Со своими дурацкими каталогами он заявлялся на наши совещания вне зависимости от степени их важности. И тут же начинал убеждать нас приобрести старинные ружья на аукционе в Лондоне или обзавестись спутниковыми телефонами, которые позволят нам общаться друг с другом на глубине четыреста метров.

Изгнание Васи из фирмы было лишь вопросом времени. Поступить так сейчас Храповицкий не мог, поскольку не хотел оставаться один на один с Виктором Крапивиным, их третьим партнером, ревниво следившим за тем, как Храповицкий забирает все больше и больше власти. Вася был его преданным, хоть и нетрезвым союзником в постоянной, скрытой войне с Виктором.

Кстати, появления Виктора в кабинете я ждал с минуты на минуту. Стоило нам где-нибудь собраться, как он тут же возникал рядом. Очевидно, боясь допустить нашего сговора. А чем еще нам заниматься, как не сговариваться против Виктора?

Зато, когда я однажды обнаружил жучки у себя дома, мне не нужно было гадать, кем они установлены.

А вот на производственные совещания Виктор не ходил — это была заведомо проигрышная для него ситуация. Если бы он начал открыто противоречить Храповицкому и заступаться за директоров, некоторые из которых были его людьми, разногласия между главными партнерами стали бы очевидными для всех, тогда как сейчас о них знали лишь посвященные.

А если бы Виктор молчал, это лишь подчеркнуло бы ведущую роль Храповицкого. Зато Вася присутствовал на них с удовольствием, хотя и ничего не понимал. Ему нравилось представительствовать. Да и смотрелся он неплохо.

3

Виктор появился на пороге минут через пять после меня. Он был среднего роста, лысеющий, плотный, темноволосый, синеглазый, с довольно правильными чертами лица и нездоровой красноватой кожей в оспинах.

— Привет. Как дела? — с привычной нарочитой бодростью бросил он, пожимая нам руки. И обращаясь ко мне, добавил: — Грабишь Родину?

— Ну что ты, — ответил я скромно. — Грабите вы. Я пытаюсь ее спасти.

Виктор не выносил меня на дух, считая, что Храповицкий пригласил меня на работу лишь для того, чтобы ослабить его, Виктора, позиции в империи.

Считал он в целом правильно. Я был не самым ленивым сотрудником. Поэтому хотя он являлся партнером, а я всего лишь мальчиком на побегушках, но исход дела подчас решало мое слово.

Все четверо мы были на «ты». Обнимались при встречах, не реже раза в неделю собирались вместе с постоянными или совсем непостоянными подругами и время от времени шумно загуливали за границей. Но друзьями мы, конечно же, не были.

11

— Ну, так что там с Пономарем? — спросил у меня Виктор, пропуская между ушей мою последнюю реплику. — Ты выяснил, кто его взрывал?

Александр Сушаков, по прозвищу Пономарь, был некогда близким другом Виктора, с которым они вместе начинали свой тернистый жизненный путь в торговле. Пономарь служил директором магазина, где Виктор в молодости совершенствовался в рубке мяса. Их творческая активность в сочетании с неугасимой алчностью через некоторое время превратила их во владельцев едва ли не всех пивных баров и ларьков в городе.

Пиво они разбавляли столь же неутомимо, как прежде воровали мясо. К началу новой русской революции оба были уже вполне богатыми людьми, что позволило им открыть банк. Который вскоре рухнул, похоронив под своими руинами не один десяток миллионов долларов. И пока многочисленные акционеры, состоявшие в основном из государственных предприятий, отчаянно боролись за остатки своей собственности, Крапивин и Пономарь покинули Россию и полгода лечили душевные раны обустройством поместий за границей.

В той знаменитой сделке, что затеял Храповицкий несколько лет назад с помощью Васи, Виктор отвечал за финансы и стал полноправным партнером Храповицкого. Пономарь тогда не стал рисковать и от участия отказался, чего сейчас не мог себе простить. Наверное, он рвал бы на себе волосы, если бы они у него были.

В глазах обывателей Пономарь по-прежнему оставался одним из хозяев города. Ему принадлежали магазины и рестораны на центральных улицах. Но узкий круг финансовых воротил губернии знал, что в высшую лигу, в которой теперь играл Храповицкий, Пономарю уже не прорваться.

По настоянию Виктора мы порой участвовали в некоторых проектах Пономаря, связанных с торговлей, но при наших нынешних оборотах это была скорее дань прошлой дружбе, чем серьезная заинтересованность.

Строго говоря, Пономаря никто не взрывал. Его офис попросту разнесли из гранатомета. Ночью. Два дня назад. Никто не пострадал, если не считать мебели и самолюбия Пономаря. И для того и для другого удар был сокрушительным. Все газеты писали только об этом. Милиция разводила руками. Город терялся в догадках. Все знали, что у Пономаря есть собственная бригада и связываться с ним местные бандиты не решались.

Благодаря широкому кругу моих знакомств мне иногда удавалось узнать то, о чем не сообщали официальные источники. Но в этот раз я не собирался рассказывать все, что мне известно. У меня были на то причины.

— Пока все очень противоречиво, — ответил я неопределенно.

— А что говорят менты? — спросил Виктор небрежно, как будто мимоходом.

Уловка была совсем не затейливой. Он мог бы придумать что-нибудь поинтереснее. Он меня не уважал.

Дело в том, что за связи с милицией отвечал именно Виктор. Он пил с руководством УВД, раздавал там деньги и натравливал органы на наших конкурентов, когда это требовалось. Сейчас он в очередной раз хотел проверить, насколько откровенны со мной некоторые из его приятелей. Ибо если со мной они были более доверительны, чем с ним, то вполне возможно, что мне известно и о тех проделках Виктора, которые он очень хотел бы сохранить в тайне.

Расчет был на то, что я не удержусь от желания щелкнуть его по носу и продемонстрировать свою осведомленность.

В такую ловушку не попался бы даже Вася. Если бы, конечно, Виктор ловил его трезвым.

— То же, что и тебе. — Я улыбнулся ему с пониманием. — Что это происки конкурентов, которых Пономарь совсем задушил, нелегально ввозя в город американские сигареты польского производства. Причем в промышленных количествах. В результате чего он практически монополизировал всю табачную торговлю.

— Мы должны ему помочь, — убежденно заявил Виктор. Он взял из подстаканника карандаш и принялся катать его по стеклянной поверхности стола.

— А мы с этого бизнеса что-нибудь получаем? — обеспокоенно поинтересовался Вася и поправил галстук. Идея бескорыстной помощи кому бы то ни было оставалась Васе глубоко чуждой.

— Мы получаем от других его направлений.

— Но это не совсем одно и то же, — не унимался Вася. Когда речь шла о деньгах, он становился дотошным.

— Он нам партнер. И мы не будем отсиживаться, когда его бьют. — Тон Виктора не терпел возражений. Кончик карандаша в его руках хрустнул и сломался. — У нас мощная служба безопасности. У нас двести человек вооруженной охраны. У нас связи с ментами. Я предлагаю тряхнуть кого-нибудь из торгашей. А еще лучше отловить пару бригадиров и допросить у нас в подвале.

— Это смахивает на начало военных действий, — отозвался Храповицкий. Его ироничные глаза посерьезнели. До этого времени он не проявлял к разговору особого интереса.

— С кем воевать-то? — задиристо возразил Виктор. — С мелкой шушерой? Если бы это были серьезные ребята, они бы добрались до Пономаря. Или до кого-то из его близкого окружения. А тут какая-то трусливая гадость.

— Если, конечно, причина названа правильно, — вставил я. Я все-таки решил отвесить ему подзатыльник.

— Что ты имеешь в виду? — повернулся ко мне Виктор. Лицо его напряглось, и оспины проступили чуть сильнее. Храповицкий тоже сверкнул на меня глазами. Он понимал мою интонацию с полуслова.

— Если кто-то из конкурентов Пономаря попросил бы свою «крышу» разобраться с ним, то об этом стало бы известно остальным бандитам на следующий же день. И уже сегодня люди Пономаря громили бы их магазины. Из твоих слов следует, что несколько разъяренных ларечников скинулись и наняли бродячих отморозков, чтобы хоть как-то досадить Пономарю. Но Пономаря подобные проделки не остановят. Наоборот, еще больше раззадорят. А к понесенным убыткам ларечники добавят дополнительные расходы. Я, разумеется, не силен в психологии работников торговли, — добавил я невинно. — Но мне кажется, это не очень в их духе.

— И кто же, по-твоему, это сделал? — спросил Виктор, скептически кривя рот.

— Прежде всего, я думаю, что это не местные, — принялся объяснять я. — Иначе мы бы уже знали. А раз не местные, значит, и причина другая. И, скорее всего, Пономарю она понятна. Это больше похоже на предупреждение. Полагаю, у Пономаря есть проблемы, которыми он с нами не делится.

— Чушь какая-то, — фыркнул Виктор.

— Любопытно, — заметил Храповицкий. Он наклонился вперед, взял сломанный Виктором карандаш, осмотрел его и вернул в подстаканник. — Если ты прав, значит, Пономарь что-то затеял, не поставив нас в известность.

— Мы тоже ему многого не говорим, — раздраженно проворчал Виктор.

— Тут другое, — возразил Храповицкий. Когда он спорил, то слова выговаривал четче обычного, и крупные черты его лица обострялись и становились жестче. — Мы работаем с ним только в одной части, а именно — в торговле. И получаем прибыль лишь от этого. Не говоря уже о том, что этой прибыли не хватит нашим девчонкам на помаду. Пономарь же получает дополнительную выгоду, потому что партнерство с нами дает ему возможность входить в те кабинеты, где его никогда бы не приняли. И эту выгоду, получаемую за наш счет, он, возможно, пытается использовать для чего-то еще. Но без нашего участия.

— Все они, торгаши, одинаковы, — буркнул Вася, с присущим ему тактом наступая Виктору на любимую мозоль. Он было сунул руки в карманы брюк, но тут же вытащил их, видимо, спохватившись, что дворяне так не поступают. — Лишь бы чего-нибудь спереть.

На Васином месте я бы промолчал, даже если бы Виктора не было в кабинете. В бытность свою заместителем председателя облисполкома Вася пер все, что плохо лежало — от строительных материалов до норковых шапок, за что его раза три собирались выгонять.

— Да зачем мы слушаем домыслы Андрея! — возмущенно повысил голос Виктор. — Давайте пошлем наших людей и все сами выясним.

— Мы не будем никого посылать, — спокойно отозвался Храповицкий. Он, похоже, принял решение. —

Мы подождем, пока ситуация прояснится. В чужую войну я не полезу.

Он нажал кнопку селектора.

— Лена, приглашай народ в комнату совещаний.

Вася остался сидеть на месте, а Виктор с недовольным лицом направился к выходу. Я последовал за ним.

— Ты что, не останешься? — вскинул свои густые брови Храповицкий.

— У меня запланированы важные встречи. Я же надеялся, что к этому времени мы уже закончим.

— Ты пропустил уже два совещания!

— Ну уволь меня, — предложил я уже в дверях.

— Когда-нибудь я это сделаю, — мрачно пообещал Храповицкий.

4

Храповицкий появился на свет в Заречье, одном из маленьких захолустных городков нашей обширной Уральской губернии, в семье врачей. Хирургов. Возможно, поэтому вид крови его не пугал.

Впрочем, в дни своей юности он еще никого не резал. Бренчал на гитаре вместе с другими подростками, пел гнусавым голосом по тогдашней моде лирические песни, пропускал уроки и тайком от родителей курил в чужих подъездах. По воскресеньям ходил в местный Дворец культуры на танцы, которые неизменно заканчивались массовыми драками.

Поскольку высших учебных заведений в Заречье не существовало, Храповицкий после школы приехал в столицу области Уральск и поступил в плановый институт. Будучи еще студентом, он женился по страстной любви. На однокурснице, которая весьма кстати оказалась единственной дочерью секретаря обкома партии. Правда, не первого. Но и не третьего.

Не думаю, что расчет здесь играл главную роль. Возможно, он увлекся бы и дочерью заведующего отделом. Иное дело, что не с такой неистовой силой.

К тестю, который одарил молодоженов двухкомнатной квартирой в центре города, Храповицкий относился с искренним восхищением. Старался ему подражать и часто заходил в гости, посоветоваться на темы семейного быта. Что весьма раздражало его юную жену, считавшую, что она выходила замуж совсем не для того, чтобы жить папиными заветами.

Известный своей неподкупностью, тесть привязался к Храповицкому как к сыну, и к тридцати годам Храповицкий возглавил небольшой нефтеперерабатывающий завод. Став начальником, он быстро вошел во вкус властных привилегий: за казенный счет построил себе дачу и ездил отдыхать за границу. Но романов на стороне не заводил, помня суровый нрав своего высокопоставленного родственника.

В тридцать два года Храповицкий был уже первым заместителем директора крупной нефтяной компании. На этой должности его и застала новая русская революция, которая демократической метлой без всякой почтительности вышвырнула на задворки коммунистического папу. Но к этому времени в его советах Храповицкий более не нуждался.

Теперь для него учителем жизни был его начальник, Алексей Петрович Громобоев, орденоносец, знатный нефтяник, депутат областного Совета, личный друг самого министра. Обрюзгший от пьянства, старый шумный мужлан, привыкший орать на подчиненных и гордившийся своим хамством как прямотой.

Храповицкий мерз с ним на охоте, потел в банях, давился водкой и выслушивал его бесконечные истории о героических буднях прошлого. Впрочем, прошлое, пусть даже покрытое неувядаемой славой, Храповицкого не зажигало. Он рвался в будущее.

В те дни по стране бушевала приватизация. Целые отрасли переходили из государственной собственности в частную. Оставаться в стороне от этого захватывающего процесса Храповицкий считал неразумным. О чем он однажды и поведал Громобоеву, который после второй бутылки обычно становился благосклоннее к мнению своего молодого заместителя, считая его парнем расторопным и неглупым.

Идея Громобоеву понравилась, тем более что Храповицкий не претендовал на равенство. Он был готов довольствоваться малым, лишь бы иметь завидную возможность работать и впредь под руководством Громобоева. И даже умереть с ним в один день. В бане. С перепоя. (Последнего он, впрочем, может, и не говорил.)

Дальше все было понятно. По просьбе Громобоева министр добился перевода руководимой им нефтяной компании из государственного реестра в список объектов, подлежащих приватизации. Василий Шишкин, который к тому времени возглавлял областной комитет госимущества, взялся отвечать за то, чтобы выставленная на аукцион добыча не досталась врагу. А столь необходимые деньги дал Виктор Крапивин.

В сложный механизм сделки Громобоев не вникал, положившись на Храповицкого и полагая, что утомительной процедурой оформления бумажек и хождения по кабинетам должны заниматься подчиненные, а не начальники.

Это резонное суждение имело лишь один изъян, который вскоре и обнаружился. Когда после почти годовых нечеловеческих усилий Храповицкого все было, наконец, позади, Громобоев с ужасом узнал, что отнюдь не является главным собственником предприятия. Предприятия, которое он возглавлял последние двадцать лет. Которое благодаря его стараниям считалось одним из лучших в стране. Чей многотысячный коллектив относился к нему с благоговейным страхом.

Отныне Громобоеву принадлежала лишь четвертая часть акций. Остальными, по двадцать пять процентов соответственно, помимо Храповицкого, владели совершенно незнакомые Громобоеву люди с фамилиями Шишкин и Крапивин.

При этом права первой подписи у Громобоева больше не было. Оно как-то само собой перешло к Храповицкому, ставшему генеральным директором. А Громобоеву предлагалась почетная и абсолютно бесполезная должность председателя совета директоров. Зато Храповицкий великодушно пообещал не выселять его из кабинета.

Удар был страшным. Громобоев запил. В компании он появлялся лишь наездами, в состоянии, далеком от вменяемости, и устраивал такие скандалы своим новым партнерам, что выводить его приходилось с охраной.

Когда же Громобоев все-таки несколько опомнился, то его ждало новое потрясение. Его враги-совладельцы предъявили ему документы, из которых неоспоримо следовало, что акции Громобоева были проданы. Все тем же трем людям. На документах стояла собственноручная подпись Громобоева.

Сломленный старик никак не мог вспомнить, действительно ли он согласился по пьянке подписать какие-то бумаги или пал жертвой очередного мошенничества. Это его доконало.

Некогда грозный Громобоев навсегда исчез из компании, и больше о нем в области не вспоминали. Скорее всего, он куда-нибудь переехал, благо новые владельцы что-то ему заплатили.

Зато тестя Храповицкого я иногда встречал у него в приемной. Превратившись в безобидного голубоглазого пенсионера, бывший хозяин области время от времени обращался к своему вознесшемуся зятю с мелкими просьбами: помочь с ремонтом квартиры или дать машину, чтобы привезти с дачи помидоры. В просьбах Храповицкий ему никогда не отказывал, хотя и общался с ним чаще через секретаря.

5

Я знаю, как меня будут мучить в аду. Меня оденут в белый смокинг и поселят в русской глубинке. Осенью.

Уральская губерния, где располагалось множество мощных промышленных предприятий, была одним из немногих регионов в России, приносивших деньги в федеральный бюджет и не зависевших от правительственных дотаций. Что не мешало главному городу области, с его полуторамиллионным населением и унылым индустриальным пейзажем, утопать в грязи с сентября по апрель. А с апреля по сентябрь задыхаться от пыли.

Когда я вышел из четырехэтажного здания администрации нашей компании, расположенного на пересечении двух главных улиц, накрапывал мелкий октябрьский дождь. Охрана каждое утро мыла машины, но достаточно было проехать двести метров в потоке мчавшегося по лужам транспорта, чтобы их естественный окрас сменился буро-серыми разводами, внушавшими отвращение даже бродячим собакам. Которые с возмущенным лаем метались вдоль обочин.

Я сел в свой джип, дожидаясь, пока Гоша, начальник моей охраны, захлопнет за мной дверцу и вальяжно развалится на пассажирском кресле.

— Какие планы на вечер? — поинтересовался Гоша. — Я к тому, что если договариваться с кем-то из ваших дам, то лучше это сделать заранее. До обеда они, знаете ли, спят, а после трех их уже не поймаешь. Даже при всем моем к вам уважении.

— Сегодня вечером у нас официальное мероприятие, — ответил я. — Неизвестно, когда освободимся. Так что обойдемся без женщин.

— Я все-таки заряжу человек трех из вашего списка, — задумчиво отозвался Гоша. — На всякий случай. Пусть сидят дома, ждут. Лучше потом откажемся. А то вы ближе к ночи спохватитесь, я же безответный и останусь виноватым. Да и им полезно будет. Надо приобретать навыки семейной жизни.

Гоша был редкий нахал. Он катал на моих машинах своих подружек, прикарманивал часть денег, которые я выдавал ему на расходы, и не реже чем раз в полгода попадал в милицию за драки. Но я прощал ему за природную сообразительность, которая совсем не часто встречается в охранниках.

Вообще-то его звали Геннадий, но свое имя он почему-то не любил и представлялся Гошей, уверяя, что так интимнее. Он был высоким спортивным парнем со смуглым красивым решительным лицом. Гоша приближался к тридцати годам, в связи с чем собирался в четвертый раз жениться. В этом он усматривал свидетельство своей серьезности и скрытый укор моей безалаберности. В свои тридцать четыре года я был женат только раз, да и то не слишком удачно. Гоша же с удовольствием вспоминал все свои предыдущие браки и не видел препятствий к продолжению столь приятного времяпрепровождения.

Всего в охране у меня работало шесть человек — по трое в смену. Свою машину я водил сам, начальник смены садился рядом, а двое других охранников ехали в машине сопровождения. С этим агрессивным коллективом Гоша справлялся без труда и еще заведовал списком из десяти—двенадцати девушек, с которыми я встречался с большей или меньшей регулярностью. Когда список пополнялся новыми именами, Гоша по своему усмотрению вычеркивал тех, о ком я не вспоминал больше двух месяцев.

Вообще-то в отличие от Храповицкого и его партнеров, принимавших на работу только офицеров спецназа или военной разведки, я не придавал охране своего бренного естества особого значения. Для меня это было скорее вопросом антуража. Вид рослых, тренированных ребят с оружием производил неизгладимое впечатление на женщин, с которыми я знакомился, и на посещавшую наши рестораны задиристую шпану, с которой я знакомиться не хотел.

Кроме прочего, наличие лишней рабочей силы избавляло от необходимости заботиться о машинах и самому делать покупки.

— Кстати, — опять подал голос Гоша. — Там ваш гаремный народ стонет.

— Денег просит? — спросил я безрадостно.

— Ну да, как обычно. — В Гошином голосе звучало неодобрение. Он не поощрял материальных претензий участниц списка, цинично именуемых им гаремом.

— Отвези трем самым страждущим по триста долларов, — предложил я.

— Не получится, — возразил Гоша скептически. — Одна только Марина, ну, которая учительница, просила полторы тысячи на дубленку к зиме. В самом деле, Андрей Дмитриевич, не голой же ей ходить.

По его тону угадывалось, что если он чего-то и желает учительнице Марине, так это именно ходить зимой голой.

— Тогда вычеркни ее из списка, — заключил я, вздыхая.

— Уже сделал, — злорадно отозвался Гоша. — Сказал, что вы на месяц уехали в Москву.

Предполагалось, что проституток в моем списке не значилось. Но материальные проблемы решать все равно приходилось, вне зависимости от того, встречался я с ними или нет. В противном случае список как-то сам собою таял.

ГЛАВА ВТОРАЯ

1

Между прочим, у меня и впрямь была важная встреча. Даже целых две. Иногда я тоже говорю правду. Хотя и не знаю зачем.

Для начала я отправился в наш банк. Банк был небольшим, карманным, как выражался Храповицкий, и работал в основном с деньгами наших предприятий. Управлял им Павел Сырцов, бывший колхозный бухгалтер, которого Храповицкий откопал где-то на периферии. Сырцову было за тридцать. Он был среднего роста, худощавый, с испуганными глазами и густой преждевременной сединой, появившейся, вероятно, от неизбывной скорби по чужим деньгам.

Любую трату, включая покупку презерватива, он считал бездумным расточительством. И решался на нее лишь после долгого всестороннего обдумывания. Деньги вообще, по его глубокому убеждению, существовали не для того, чтобы их тратить, а чтобы их копить.

На стене в его тихом кабинете со спартанской мебелью висела абстрактная картина в бледно-зеленых тонах, изображавшая не то норвежские фьорды, не то горы денег. Картина Сырцову очень нравилась. Она его успокаивала.

Ему предстояло тяжелое испытание. Поскольку я приехал, чтобы забрать четыреста тысяч долларов наличными.

Все необходимые по этому поводу распоряжения Сырцов получил от Храповицкого еще в середине прошлой недели. Деньги уже были подготовлены, десять раз пересчитаны, аккуратно упакованы и уложены в спортивную сумку. И все-таки расставаться с ними ему было тягостно и больно.

Он еще раз позвонил Храповицкому в надежде, что в планах шефа произошли какие-нибудь изменения. Изменений, разумеется, не случилось.

Сырцов вздохнул, окинул прощальным взглядом сумку и бережно передал ее мне.

— Сумку только потом верни, — попросил он. — А то на тебя не напасешься.

— В следующий раз приеду с рюкзаком, — пообещал я. — Чтоб больше поместилось.

Я поставил сумку на пол и небрежно задвинул ногой под кресло. От подобного обращения с дорогим его сердцу грузом Сырцова покоробило. Он нервно сглотнул, и острый кадык на тонкой шее пробежался вверх и вниз. Из хулиганства я хотел было прикурить от стодолларовой купюры, но побоялся, что его хватит удар.

Сырцов заглянул в компьютер, затем сверился с какими-то записями.

— Итого я выдал тебе один миллион триста пятьдесят восемь тысяч долларов, — подытожил он с грустью.

— За тобой еще столько же, — обнадежил я.

— Шутишь?! — ахнул он, меняясь в лице. Его испуганные глаза заметались. — Храповицкий об этом мне ничего не говорил.

— Еще скажет, — заверил я. — Постараюсь уложиться в три миллиона. Хотя, конечно, придется во всем себе отказывать.

Сырцов заерзал. Шуток на эту тему он не воспринимал.

— Зачем нам вообще эта политика! — воскликнул он в сердцах. — Одни расходы от нее!

— Ты не все знаешь, — многозначительно произнес я.

Сырцов бросил отчаянный взгляд на картину, как будто опасаясь, что долларовые фьорды вот-вот исчезнут. Фьорды были на месте. Это придало ему сил.

— Нет, конечно, если мы победим, — принялся вслух утешать себя Сырцов, — и все городские счета переведут в наш банк, то траты окупятся довольно быстро.

— А если их переведут в «Потенциал»? — поддразнил я.

— С какой стати! — возмутился Сырцов. Он опять занервничал. — Платим-то за выборы мы. Ты знаешь, сколько «Потенциал» имеет в месяц?

Контрольный пакет банка «Потенциал» принадлежал губернатору. И банк свободно распоряжался деньгами областного бюджета, что было предметом мучительной зависти Сырцова, постоянно подсчитывавшего их баснословные барыши.

— Кстати, ты идешь сегодня на их юбилей? — спросил я, чтобы отвлечь его от темы, на которую он был готов распространяться часами.

— Храповицкий приказал быть обязательно. Велел мне новый галстук купить. Не знаю уж, чем этот ему не нравится. Хороший галстук. Новый. Я его два года ношу. Да еще сделать подарок от имени нашего банка. Я пытался ему объяснить, что они нам только поздравительный адрес присылали, да разве меня кто-нибудь слушает!

У меня не было времени внимать его жалобам на мотовство начальства. Я и так уже немного опаздывал.

2

Последние два месяца в Уральске полыхали выборы мэра города, в которых мы принимали самое деятельное участие.

Одной нефти Храповицкому с его аппетитами казалось недостаточно. Под его неумолимой пятой, обутой в вечерние лаковые туфли, уже стенал добрый десяток промышленных предприятий губернии. Но останавливаться он не собирался. Он жаждал получить Уральск целиком. За приготовление этого пирога я в настоящее время и отвечал.

Последние четыре года городом правил Борис Кулаков, бывший директор большого металлургического завода. Объективность требует признать, что он был не самым плохим мэром. Что-то вечно латал в запущенном городском хозяйстве, что-то сносил, что-то строил.

Но значение имело вовсе не это. А то, что вся его активность протекала без нас. Мириться с этим впредь мы не собирались. И, к слову сказать, не мы одни.

Кроме нас был еще губернатор, либерал-рыночник, экономический демократ, усиленно строивший счастливое будущее нашей губернии и своей семьи. Его Кулаков так же, как и нас, не допускал к дележу городского имущества. Что губернатора, так же как и нас, бесило. Между ними шла незатихавшая война.

Кулаков в прессе и на площадях обличал воровство губернатора. Доставалось, конечно, и нам. Но если мы лишь злобно скрежетали зубами, дожидаясь своего часа, то губернатор в ответ душил его рублем, не выделяя из областного бюджета денег на социальные нужды города.

Сейчас им предстояла смертельная битва. Через год губернатора самого ожидали выборы, и было ясно: если он не прикончит Кулакова сегодня, тот закопает его завтра. И еще, в соответствии со своими коммунистическими принципами, заунывно споет «Интернационал» на губернаторской могиле.

На этой почве и началось наше сближение с губернатором. Он обратился к нам за помощью, поскольку в наших руках были средства массовой информации и заводы, расположенные на территории города.

Храповицкий откликнулся с готовностью, ибо его воображение давно волновали бескрайние просторы губернии, на которых немало привлекательных объектов все еще оставалось бесхозными. Кроме того, с помощью губернатора он надеялся протоптать дорожки в московские кабинеты.

Так возник союз, ставивший себе целью стирание Кулакова с лица земли, а я был назначен ответственным за ведение военных действий.

Сейчас на место Кулакова претендовало четыре кандидата. Но реальным был один, Черносбруев. Тот, которого поддерживал губернатор и, что еще важнее, на которого поставили мы.

Четыре года Черносбруев являлся правой рукой Кулакова и главой администрации Центрального района. Нельзя, впрочем, сказать, что он служил Кулакову верой и правдой. Для этого он был слишком переполнен амбициями и жадностью. Подобно многим заместителям, он постепенно проникся убеждением, что осуществлять руководство было бы сподручнее ему, чем его начальнику.

Эту свежую мысль он не раз высказывал в кругу своих приближенных. А они делились ею с остальными. Губернатор с его редким чутьем на предателей положил на Черносбруева глаз.

В свою очередь мы давно уже работали с Черносбруе-вым, поскольку большинство купленных нами зданий находилось в его районе. Мы знали ему цену, и она нас устраивала.

И губернатор, и мы надеялись получить послушного мэра.

3

Штаб Черносбруева находился в одном из наших помещений. Нам принадлежал весь первый этаж жилого дома. Мы готовили его под филиал банка.

Храповицкий, вечно заботившийся о конспирации, настаивал, чтобы наша помощь Черносбруеву сохранялась в секрете. С таким же успехом он мог требовать соблюдения тайны о впадении Волги в Каспийское море. Разумеется, даже последний сторож здесь знал, чьи руки его кормят.

Меня тут встречали как долгожданного гостя. Или, точнее, как хозяина. Начальник штаба Черносбруева, толстенький, зализанный чиновник в обтрепанном костюме, несмотря на дождь, уже прыгал на крыльце от нетерпения.

В штабе даже поздно вечером крутилось не меньше сорока человек. Сейчас он был полон. Шныряли журналисты с камерами, уличные активисты получали листовки, невыразительные пожилые женщины корпели над бумажками, чиновники составляли таблицы, и забубенные агитаторы о чем-то громко спорили охрипшими голосами.

Прямо в коридоре на полу грудами была свалена так называемая наглядная агитация. Плакаты со слащаво улыбавшимся Черносбруевым; транспаранты, призывавшие голосовать за него, ибо именно в таком Черносбруеве остро нуждался наш обездоленный народ; размноженные на ксероксе статьи, разоблачавшие злодеяния Кулакова, и какие-то газеты. Вся эта макулатура стоила нам огромных денег.

Пока мы шли по коридору, народ почтительно здоровался со мной и уступал дорогу.

Неожиданно из-за угла вывернул подвыпивший пожилой мужик в грязной телогрейке и, решив, что я здесь главный, обдал меня перегаром:

— А где тута за сдир деньги дают?

— За какой сдир? — не понял я.

— Да мы тута всю ночь кулаковские плакаты сдирали. И еще надписи писали на домах: «Кулак — вор!»

На грубых руках мужика и на его телогрейке были заметны следы черной и синей краски.

— Тонкая работа, — заметил я начальнику штаба. Он, кажется, смутился.

— Зря вы иронизируете, — начал оправдываться он. — Народ это воспринимает. Не все же читают газеты. А это — доходчиво.

Я не стал спорить. Мне еще не приходилось встречать чиновника, который не считал бы другого чиновника вором и не знал, что именно хочет народ.

У Черносбруева был отдельный кабинет с секретаршей. Увидев меня, он бросился обниматься.

— Ну что привез? — спросил он, едва мы покончили с троекратным лобызанием.

— Обижаете, — ответил я.

Если чиновник говорит вам «ты», то это признак доверительности. Но если вы отвечаете ему тем же, это уже дерзость.

Черносбруев мало походил на свои фотографии, которые мы развешивали по городу. Фотохудожникам пришлось потрудиться над его внешностью.

Он был маленького роста, всклокоченный, лысеющий, лет пятидесяти, с худощавым лицом и уже оформившимся брюшком. В его беспорядочной суетности было что-то мышиное.

После получения денег его любовь ко мне обычно достигала такого градуса, что я начинал опасаться сексуальных домогательств.

— Ты не представляешь, Андрюша, как мы задыхаемся без средств, — проникновенно проговорил он, придвигаясь ко мне. Его бесцветные глаза чуть потеплели, словно оттаяли.

Почему же. Я представлял. Его старший сын учился в Штатах, а восемнадцатилетняя дочь уже успела расколотить вторую иномарку. Жена открыла салон красоты, куда никто не ходил. Зато покупка здания и ремонт обошлись в четыреста тысяч наших грязных, как выражались коммунисты, украденных у трудового народа нефтедолларов.

Черносбруев присваивал примерно половину тех денег, что мы ему выдавали на выборы. Слабым утешением нам служило то, что брал он не только у нас. Что-то ему подкидывал «Потенциал», хотя, зная патологическую скаредность губернатора, я не думал, что много. Да и коммерсантов своего района он ошкурил не меньше, чем на миллион.

— Ну, как мы продвигаемся? — спросил я, чтобы отвлечь его от денежной темы.

На самом деле я и без него знал, как мы продвигаемся. Раз в неделю я проводил инструктаж с прессой и принимал отчеты от его заместителей по организационной работе. Черносбруев и Кулаков шли голова к голове, и, несмотря на все наши усилия, нам не удавалось переломить ситуацию.

— Дожимаем гада, — потер руки Черносбруев. — Он вот-вот сломается.

— Да ну? — коротко спросил я. — Что-то не похоже на него. Он парень крепкий.

— Точно тебе говорю. Ты же знаешь, многие из глав районных администраций на моей стороне. — Он опять вскочил и принялся кружить по кабинету.

— На нашей, — поправил я. Поскольку именно я развозил им деньги.

— Одно же дело делаем! — отмахнулся он. — Они мне говорили, что все последнее время он ходит убитый.

Они и мне говорили то же самое. Странно было бы, если бы за наши деньги они говорили нам что-нибудь другое. Еще более странно, если бы я им верил.

— Мы тут, кстати, подготовили свежий номер «Кулацкой правды», — оживленно продолжал Черносбруев, принимаясь рыться в грудах бумаг, которыми был завален стол. — Посмотри, тебе понравится.

«Кулацкая правда» было названием довольно похабной газетки, в которой повествовалось о преступлениях Кулакова против человечества, по большей части вымышленных. Рассказывалось, как Кулаков разворовывает бюджет, строит себе особняки за границей и живет в них со своими секретаршами.

Однажды, по какой-то нелепой случайности, вместо несуществующего поместья Кулакова в Испании ребята Черносбруева тиснули в его газетке фотографию Васиного дома на Кипре с улыбающейся Васиной женой на первом плане. Подпись гласила: «Последняя пассия мэра». Очевидно, Черносбруев привез фотографию из летнего отпуска, который он провел у Васи, и по ошибке отдал своим газетчикам.

Получив номер, Вася, пьяный в дым, с толпой охраны ворвался в штаб Черносбруева, крушил мебель, бил перепуганных штабистов, орал и хотел проломить Черносбруеву голову. И проломил бы, если бы не мое вмешательство.

— О чем на сей раз врете? — поинтересовался я.

— Да там каждое слово — правда! — всерьез обиделся Черносбруев. — О кулаковской дочери. Законченная проститутка. Ты ее знаешь?

— Нет. Я вроде слышал, что у него сын.

— А еще есть падчерица! Он ее удочерил. Народ-то не знает, что она ему не родная. Тварь, каких мало. — Он доверительно понизил голос. — Переспала с половиной города. Ее менты несколько раз пьяную за рулем останавливали. Кулак все улаживал, конечно. Я-то знаю. Сам помогал. Хоть бы раз мне премию дал за это! Отличная статья получилась. На той неделе номер должен выйти.

— Может быть, не стоит про детей? — вяло возразил я, в душе жалея, что не дал Васе открутить эту изобретательную голову.

— Как не стоит! — взвился Черносбруев. — Это же кулаковские дети! Нам победа нужна! Любой ценой, ты что, не понимаешь!

Он стукнул кулаком по столу, попал по стопке бумаг, и они посыпались на пол. Черносбруев бросился их собирать.

В это время дверь открылась, и в кабинет вошел Виктор.

— Здорово! — весело приветствовал он нас с порога. — Ты уже здесь? А я ехал мимо, думаю, надо узнать, как дела. Близка победа-то?

Он, видимо, жить не мог без меня.

— Давайте выпьем чего-нибудь, — предложил Виктор. Время от времени он уходил в глубокие запои. И если на этот период он кооперировался с Васей, то их молодецкая удаль обходилась фирме в приличные деньги, которые мы платили, заминая скандальные последствия их бесшабашных загулов.

— Не могу с утра, — возразил Черносбруев. — У меня еще встреч полно.

— Мне, что ли, с тобой на встречи поездить? Глядишь, кого-нибудь сагитирую, — не унимался Виктор. Мне показалось, что он уже выпил. Во всяком случае глаза у него помутнели и движения приобрели некоторую размашистость.

По лицу Черносбруева я понял, что компанию Виктора он считал сомнительным приобретением.

— Да, ладно, я уж сам как-нибудь, — пробормотал он. — Ты лучше вон Андрея осади. Он запрещает мне писать о том, что у Кулакова дочь проститутка.

— А она правда проститутка? — заинтересовался Виктор. — Надо бы познакомиться. Как ты считаешь, Андрей?

Если он обращался ко мне без привычного сарказма, значит, точно выпил. В первой стадии он становился доброжелательным. К сожалению, она быстро сменялась другими. Которые протекали тяжело.

— Интересно, а зачем ей? — продолжал он. — Не из-за денег же. Наверное, все-таки любительница. Нет, точно надо познакомиться.

Я понял, что он болтает, выигрывая время на размышление. Идея ему не нравилась, как и мне. Но был соблазн дать разрешение, просто чтобы показать мне, кто здесь начальник.

— Давай все-таки подождем, — наконец заключил он. И видя глубокое разочарование Черносбруева, попытался смягчить отказ. — У всех у нас есть дети. И не всеми мы гордимся. Неприятно же, если про наших будут писать.

За этот, пусть и нетрезвый, прилив великодушия я был ему благодарен настолько, что тут же попрощался и оставил их вдвоем, давая Виктору возможность поважничать с глазу на глаз.

Когда я выходил из штаба, у меня зазвонил мобильный телефон. Это был Храповицкий.

— Где шляешься? — осведомился он. — Есть срочное дело. По твоей части.

— Интересно, а какая она, моя часть? — спросил я.

— Он еще спрашивает! Телки! Какая же еще! — И Храповицкий положил трубку.

4

Когда я вошел в его кабинет, он был один и разговаривал по телефону.

— Котик, дорогой, — жалобно бубнил он, забавно вытягивая в трубочку свои толстые губы. — Ну неужели ты сама веришь во всю эту чушь?..

Я сочувственно подмигнул ему, и он в ответ состроил гримасу. Кажется, он в очередной раз безнадежно пытался убедить одну из своих подруг в том, что вчера в ночном клубе видели вовсе не его, а совершенно постороннего человека. Поскольку он допоздна сидел на важных переговорах. Чему у него, к слову, есть куча свидетелей. Тот же, к примеру, я.

— Правдивейший человек и образцовый семьянин, — меланхолично вставил я, располагаясь в неудобном кресле.

Мы вместе выбрались из этого клуба часа в три утра, после чего разделились. Храповицкий честно и добропорядочно поехал к одной из своих дам, а я продолжил праздник.

— Законченный врун и бабник! — не удержался Храповицкий, видимо, намекая на то, что я отбыл в сопровождении группы поддержки, состоявшей из двух развязных гражданок.

С его стороны это было опрометчиво, поскольку эта несправедливая реплика привела к новому шквалу упреков по телефону. Очевидно, показания свидетеля с подобной характеристикой его любовницу не устраивали.

Мне было его жаль. Точнее, бывало жаль.

В моем понимании у Храповицкого не существовало личной жизни. В отношениях с женщинами он являлся страдальцем, терпеливо влачившим вериги обязательств, скандалов и расходов. Кроме той, с которой он сейчас общался по телефону, у него были еще две постоянные подруги. Все три яркие, капризные, требовательные и ревнивые.

Его жена, с которой он, кстати, так и не развелся, в настоящее время несла лишения где-то в Лондоне, сыром, неказистом городишке, далеком от благ провинциальной российской цивилизации.

Храповицкий отправил ее с детьми в Англию якобы в целях их семейной безопасности.

В известном смысле это было правдой. Над семейной безопасностью Храповицкого висела серьезная угроза. Ибо даже наш многолюдный город не вынес бы одновременного проживания четырех взрывоопасных женщин.

Отчаявшись, наконец, что-то доказать, Храповицкий раздраженно бросил трубку и некоторое время выразительно артикулировал ртом, не произнося ругательств, которые крутились у него на языке.

— Олеся? — спросил я с состраданием.

— Ольга, — ответил он с тоской. — Олесе еще не донесли. Я надеюсь. Черт! Бросить бы их всех и зажить нормальной человеческой жизнью. Везет же тебе! — В его живых глазах появилась непривычная мечтательность.

— Пропадут, — заметил я по обыкновению.

Подобные диалоги мы вели в среднем два раза на дню.

— Да и денег на них уже сколько потрачено, — вздохнул Храповицкий. — Денег тоже жалко.

Он помолчал, глядя в потолок, возможно, подсчитывая. Ему было что считать. Эта вечно рыдающая, раздраженная армия обходилась Храповицкому в сумму, сопоставимую с бюджетом одного из наших предприятий. Замечу, не самого маленького.

— Кстати, что там у нас с выборами?

Видимо, подсчеты были неутешительными, и он решил сменить тему.

— Стараюсь, — ответил я. — Но уверенности в победе у меня пока нет. По-моему, наш уважаемый кандидат больше озабочен тем, чтобы у нас украсть, чем своей победой. Я, кстати, отнюдь не убежден, что в случае выигрыша мы удержим его в узде.

— А с кем еще он будет работать? — возразил Храповицкий. — У кого есть реальные деньги, кроме нас? Только у газовиков и у «Потенциала». Выбор не очень велик.

— «Потенциал» — это губернатор. Не последний парень в нашей деревне. И не самый бескорыстный. Как бы не случилось, что за победу заплатим мы, а приз достанется им.

Храповицкий поморщился. Он явно и сам не раз размышлял над тем же.

— Ну, такая опасность всегда существует, — отозвался он задумчиво, приглаживая кустистую бровь тонкими сильными пальцами. — Нет политика, который не обманул бы тех, у кого брал деньги. Но выбирать-то нам не из чего. С Кулаковым у нас вообще резня. Этот дурак со своими коммунистическими убеждениями нас просто ненавидит. Конечно, Черносбруев будет рвать повсюду. Но ведь и город-то огромный. «Потенциал» не в состоянии проглотить даже одной десятой, чтобы не подавиться. Я разговаривал с Пашей Сырцовым, он спит и видит, как получить городской бюджет. Но бюджет — это мелочь по сравнению со стройплощадками или, скажем, муниципальными предприятиями, которых больше двух сотен и которые можно забрать в собственность. А недвижимость! — Он оживился, и глаза его заблестели. — Здания, детские сады, пионерские лагеря, набережные! Это Клондайк. Говорю тебе, даже у нас не хватит возможностей, чтобы все это освоить. Всего не украдешь, как говорят в Москве. — Мне показалось, что в его голосе прозвучала печаль. — Хотя стремиться к этому надо. Кстати, о Москве. Завтра мы с тобой туда летим.

— По делу?

— И еще по какому! — Он радостно мне подмигнул, возвращаясь в хорошее настроение. — С толпищей красивых баб. Представляешь, море длинных телок и мы с тобой посередине. Такие маленькие. Но очень гордые. Серьезно. Ты же знаешь, как долго я подбирался к губернатору. Но на всех этих полуофициальных встречах откровенно не поговоришь. Кабинетная обстановка не располагает. Вечно народ крутится. На охоте вообще к нему не подойдешь. Короче, я понял, что нужен интим, атмосфера доверительности. В прошлую пятницу я уговорил его вырваться в Москву на один вечер с девочками из нашего театра.

— Так мы летим с губернатором? — уточнил я.

— Мы летим с девчонками, — наставительно поправил Храповицкий. — Что, между нами говоря, гораздо приятнее. Губернатор отправится утренним рейсом. Он не хочет засветки. Ну, представь, мы все вместе появляемся в депутатском зале. В окружении фотомоделей. На следующий день уже пойдут разговоры. Зачем ему проблемы? Мы тронемся где-нибудь в обед, чартером. Кинем вещи в отеле, девчонок в охапку, и сразу в — кабак. Там мы с губернатором и встретимся. Я уже все заказал, включая ночной клуб.

— А телки потом не проболтаются?

— Да пусть себе болтают, кто их слушает! За поездку мы им заплатим, так что первое время будут молчать.

— И кого же мы берем?

— Кого берем мы, я еще не решил. Это отдельный вопрос, и к нему надо подойти без спешки. Но главное, кого берет он. Он положил глаз на Светку Кружилину. Помнишь ту курносую блондинку. — Храповицкий приподнял пальцем кончик своего ястребиного носа, чтобы я лучше представил. — Такая, с норовом. Еще хуже тебя. Этой весной она заняла второе место на нашем конкурсе красоты.

Я не помнил Светку Кружилину. Я вообще с трудом различал красавиц из нашего театра. Сто восемьдесят сантиметров роста, сорок восемь килограммов живого веса, кукольные накрашенные лица, холодные глаза и плоская грудь. Постройте их в ряд и найдите десять отличий.

Меня забавляло, что наш театр был предметом острой зависти всего губернского бизнеса, не без оснований считавшего его нашим гаремом. Туда набирали привлекательных девушек, соответствующих названным стандартам. Учили их танцам, пластике и чему-то еще. Потом они принимали участие в устраиваемых нами конкурсах красоты. А победительницы отправлялись на всероссийские и международные конкурсы. Попасть в наш театр было мечтой каждой городской девчонки.

Руководил театром Михаил Приворотный, в прошлом профессиональный танцор и неудавшийся актер, вертлявый, жеманный и лишенный всякой мужественности, несмотря на наличие жены.

А платили за все это мы, включая, разумеется, поездки и наряды девушек, конкурсы и смазливых мальчиков, которые вечно крутились вокруг Приворотного и с которыми он, вероятно, спал, в то время как его жена спала с нашим менеджментом.

Театр обходился нам недешево, но был кузницей кадров для Храповицкого и его партнеров. Двух из трех своих подруг Храповицкий нашел именно там. Мне, конечно, приходилось несколько раз спать с нашими красавицами, но больше по долгу службы, чем по зову сердца. Захватывающих впечатлений от этого у меня не сохранилось. В женщине должно быть что-то и кроме макияжа.

— А если эта Света откажется?

— Не откажется, — самодовольно усмехнулся он. — Я только что с нею разговаривал. Хочешь прочитать досье на нее? Я в субботу велел службе безопасности провести разработку. Много накопать они не успели, но все-таки любопытно.

В нашу службу безопасности Храповицкий набирал лучших сотрудников ФСБ и налоговой полиции. Поэтому в сборе информации конкурировать с нами было пустым делом. Мы имели доступ ко всем секретным данным, но этим не ограничивались. Помимо наружного наблюдения и разного рода прослушивания практиковалась еще так называемая оперативная разработка, когда в дом интересующего человека под видом слесарей или работников Горгаза шли специально обученные агенты и в разговорах с соседями или родственниками узнавали все, что только можно. Эти сведения, надо признать, не всегда отличались достоверностью.

Помню, как-то однажды я привел на нашу вечеринку девушку, с которой познакомился за два часа до этого. Внутренним уставом и Храповицким лично это было категорически запрещено: в узкий круг допускались только проверенные, постоянные женщины. Но девушка мне понравилась, кроме того, мне всегда казались нелепыми излишние меры предосторожности.

Дня через три Храповицкий бросил мне на стол результаты оперативной разработки, в которой моя новая знакомая характеризовалась как дама поведения весьма сомнительного, встречавшаяся с несколькими мужчинами одновременно и проводившая ночи напролет в развратных оргиях.

Храповицкий тогда устроил мне выволочку. Особа с таким кругом знакомств, по его мнению, скорее всего, являлась проституткой, подосланной нашими врагами, которые только и мечтают, как устроить нам диверсии, вплоть до физического устранения.

Через некоторое время я все-таки выбрал минутку в своем напряженном графике и с ней переспал. Представьте, она оказалась невинницей. Первой за последние лет двадцать моей беспутной жизни. Наверное, враги относились ко мне с большим уважением, чем партнеры Храповицкого, и были готовы на все, лишь бы выведать мои сексуальные тайны.

Про приглянувшуюся губернатору гражданку Кружилину ничего особенно интересного я не узнал. Воспитывалась без отца, окончила математическую школу, занималась спортом, училась на втором курсе университета, в настоящее время от матери переехала, поскольку жила с бандитом по прозвищу Синий.

— Я встречал этого Синего, — задумчиво потер я нос, закончив чтение. — Не самый приятный парень. Думаю, он не придет в восторг от затеи с поездкой.

— Она сказала, что решит все проблемы сама, — равнодушно заметил Храповицкий. Сам он бандитов не боялся, а дальнейшая судьба новой губернаторской пассии его не волновала.

— Отчаянная.

— Да, бабочка бойкая, — согласился он. — И цену себе, похоже, знает. Сразу уточнила, кто именно ее приглашает.

За это я, помимо всего прочего, не любил девочек из нашего театра: они всегда начинали с цены вопроса.

Я никогда не торгуюсь и на женщин трачу столько, что даже Храповицкий иногда неодобрительно качает головой. Но покупать я предпочитаю то, что нравится мне, а не то, чем пользуются все остальные.

Боюсь показаться старомодным, но меня всегда прельщали иные женщины — те, которые не продаются. Хотя именно они, в конечном счете, и оказываются самыми дорогими.

5

Сегодняшний праздник «Потенциала» был назначен на шесть часов. Так что я успел заскочить домой, чтобы переодеться.

Надеюсь, что, увидев меня, окружающие сразу понимают, что имеют дело с человеком тонкой душевной организации. Скучающим, чего уж там таить, в забавах мира. К сожалению, единственная моя фотография, стоявшая в кабинете, этого не отражала.

Она была почти двадцатилетней давности, и на ней я был запечатлен сразу после того, как выиграл юношеский турнир по боксу в среднем весе. Бровь была рассечена, нос распух. Вампирскими губами я улыбался в камеру. При этом смотрел так, как будто собирался врезать фотографу.

Мой отец был профессором, заведующим кафедрой истории Средних веков в Уральском университете. Мать там же преподавала английский. Родители требовали, чтобы я поступил в музыкальную школу. Поэтому я пошел в бокс. Следующие восемь лет я возвращался домой в синяках и ссадинах. Но соревнования выигрывал. Не думаю, что у меня были выдающиеся для бокса данные. Просто я был упрям и не любил, когда меня били. Особенно по лицу.

Школу я окончил с тройками по всем точным наукам и с похвальными грамотами по всем гуманитарным. Уехал в Петербург, который тогда еще назывался Ленинградом, и поступил в университет на филологический факультет. Своими посещениями я преподавателей не баловал, но диплом защитил на «отлично», и меня пригласили в аспирантуру.

На третьем курсе, во время моего визита домой на зимние каникулы, я познакомился на вечеринке с девушкой, которая тоже училась филологии, но в Уральске. К концу каникул мы решили пожениться. Через полтора года у нас родился сын.

Защитив кандидатскую, я вернулся в Уральск. Но преподавать, по стопам родителей, не пошел. В стране наступали новые времена, и я занялся издательской деятельностью. Закона об авторских правах тогда практически не существовало, точнее, его никто не соблюдал. Никого не спрашивая и никому не платя, я переводил детективы с английского и печатал их на дешевой бумаге.

Это принесло мне неплохую прибыль, которую я вложил в открытие собственного еженедельника. Газета безжалостно разоблачала сильных мира сего и расходилась безумными тиражами. Уже через год я к еженедельнику добавил ежедневник. Той же, разумеется, направленности.

Писать правду о власть имущих — занятие хотя и доходное, но очень не безопасное. В те времена у Храповицкого и его партнеров, совсем недавно ставших владельцами нефтяной компании, было любимое развлечение. Они устраивали бои без правил среди своей охраны. Как-то один из участников состязаний, после броска, неудачно приземлился и сломал себе шею. Он скончался в больнице, не приходя в сознание. Обе мои газеты об этом сообщили. Храповицкий подал на меня в суд и проиграл. О чем мои газеты вновь не преминули поставить в известность читателей.

Через три дня меня подкараулили в подъезде несколько человек и избили кастетами так, что неделю я не мог подняться. На это я ответил сразу двумя статьями, рассказывающими о хищнической деятельности господина Храповицкого и его товарищей. Статьи носили выразительное название «Мародеры».

После этого Храповицкий появился в моей редакции. Сам. В белой дубленке, белом шелковом кашне и в окружении семи человек охраны. Не то чтобы он меня боялся, просто без охраны он не входил даже в туалет.

Разговор начался с взаимных оскорблений, а закончился в ресторане с девочками. В России настоящая мужская дружба почти всегда начинается с драки. В целом мы друг другу понравились. Мы были совершенно разными, но оба любили риск и невыполнимые задачи.

Через месяц я продал ему свои газеты за большие деньги. И начал работать его заместителем по связям с общественностью. Предполагалось, что я буду отвечать за средства массовой информации, то есть за те две газеты, которые когда-то были моими, за телеканал и радиостанцию, которую мы прикупили по моему настоянию, когда уже начали работать вместе.

Однако мне приходилось заниматься деятельностью гораздо более разнообразной. Я встречался с чиновниками, участвовал вместе с Храповицким в переговорах, давал взятки, готовил сделки, одним словом, выполнял все то, чего не могли его партнеры и до чего у него самого не доходили руки.

Судя по моим заработкам и по тому, что в его империи я оставался последним оплотом своеволия, он доверял мне и ценил.

Теперь я и сам ездил с охраной и перебрался из своей большой квартиры в центре в дом за городом.

И не надо обвинять меня в измене идеалам. Я же говорил, что я хуже, чем обо мне думают.

6

В доме я жил один. Полтора года назад моя безответная жена, которая долгих двенадцать лет молча мирилась с моим неугасимым интересом к исследованию женской физиологии, в слезах и замешательстве сообщила, что считает необходимым уйти. Ибо наш десятилетний сын болезненно воспринимает то обстоятельство, что его отец не ночует дома. В среднем пять раз в неделю. И что она никогда ни о чем не спрашивала, стараясь относиться с пониманием. Но теперь встретила другого человека. Военного. Майора. Так уж получилось. Что у него, конечно, нет моих денег, но он очень ее любит. И будет о ней заботиться. И о нашем сыне тоже. Что она не хотела ничего говорить, но его переводят в Подмосковье, и ей надо ехать с ним. Что ей очень жаль, но я должен ее понять. Что она очень меня любила и, может быть, любит и сейчас. Но я сильно переменился за последнее время, и она больше так не может. Что ей тоже нужно немного тепла. В конце концов мы же интеллигентные люди. И, следовательно, должны расстаться достойно.

Я понимал. Что она устала от моего беспутства. Что майоры тоже живые существа, даже, пускай, и военные. Что они тоже хотят любить. Чужих жен. Особенно моих. И чем меньше у них денег, тем сильнее у них это желание. Хотя дело, разумеется, не в деньгах. А в том, что если ей нужно тепла, то могла бы купить обогреватель. Вместо того чтобы давать в подъезде какому-то провонявшему гуталином козлу. Что, возможно, именно так и поступают все интеллигентные женщины, но моя мама ничего мне об этом не говорила. Что моего сына ждет завидная участь — ходить строем по казарме с заботливым майором. Что я вовсе не собираюсь упрекать ее, тем более из-за какого-то, мягко выражаясь, животного, похищенного в детстве из грязного свинарника бандой разнузданных педерастов. Лишивших его остатков соображения путем непрерывного битья по голове. И что я ей очень благодарен за все эти годы. И воздержусь от скандалов. Что у нее есть право поступать так, как она считает нужным. И моя охрана не будет совать этого несчастного хрюкающего крокодила в канализацию, потому что я не хочу, чтобы в моем унитазе плавала майорская фуражка. Я эстетически не подготовлен к восприятию этого зрелища.

В общем, мы разошлись. Сын приезжал ко мне четыре раза в год, на каникулы. И я ежемесячно высылал им суммы, превосходящие годовую зарплату ее мужа. Теперь уже не меня.

ГЛАВА ТРЕТЬЯ

1

Торжество «Потенциала» над губернским народом было назначено в филармонии, которую только-только отремонтировали.

Я нарочно опоздал на полчаса, но торжественная часть еще не начиналась — ждали губернатора. Бомонд роился в огромном холле. Здесь были все, кого местная пресса почтительно именовала элитой: политики, бизнесмены, бандиты.

В центре холла, сияя лысиной и фальшивой улыбкой, стоял управляющий «Потенциала» Ефим Гозданкер, пятидесятилетний, обрюзгший, с бегающими черными глазами и толстыми вечно мокрыми губами. Недостаток растительности на голове он восполнял неряшливой бородой. Гармонии, впрочем, не получалось.

Приглашенные сначала подходили к нему с поздравлениями, а потом уже разбредались кто куда. Еще шесть лет назад Ефим был неприметным старшим научным сотрудником в каком-то богом забытом институте. С наступлением новых времен он ринулся в кооперацию и безуспешно пытался торговать разведенными в подвале грибами.

И тут губернатором стал его старинный друг по преферансу. Вместе они купили маленький, запутавшийся в долгах банчок и накачали его бюджетными деньгами.

У Ефима было много родственников. Одного из них он пристроил вице-губернатором по финансам, другой, будучи теперь на должности специального представителя губернии в Москве, устраивал встречи губернатора с нужными людьми в Кремле и правительстве, остальные возглавляли косой десяток частных структур, получавших колоссальные и безвозвратные кредиты из областного бюджета. Теперь Ефим был не только финансовым

41

партнером губернатора и его ближайшим советником. Он являлся одним из самых богатых и влиятельных людей в области. Главой мощного клана, который заправлял губернией и производил все серьезные кадровые назначения. Приглашение к Ефиму было высокой честью.

Я принадлежал к другому клану, еще не столь сильному, но очень агрессивному. Я понимал, что рано или поздно мы с ними схватимся. Гозданкеры, похоже, тоже чуяли в нас опасность и, несомненно, готовили ответные меры.

Я поздравил Ефима, расцеловался с ним столь же крепко, сколь неискренне, поперхнулся от его душного одеколона и направился к группке силовиков. Здесь был прокурор области, начальник областного УВД, начальник ФСБ и начальник налоговой полиции. Все четверо были в штатском, но руки привычно держали по швам и слегка выкатывали грудь. Рядом с ними томились и переминались с ноги на ногу их толстенькие простушки жены.

Силовики держались поодаль, чувствуя себя несколько не в своей тарелке. Клан Гозданкеров они вообще недолюбливали. Во-первых, потому, что прикрываемые губернатором Гозданкеры крали много и неряшливо, а во-вторых, сказывалось недоверие к евреям, которое все русские генералы унаследовали еще с советских времен.

Открыто они, конечно, ничего не говорили, поскольку их назначения зависели от губернатора, а губернатор и Гозданкеры были, в сущности, единым двуглавым туловищем. Но их приглушенный ропот мне приходилось слышать не раз. К нам они относились теплее.

Не потому, что фамилия Храповицкий ласкала русский слух, а потому, что мы им платили. Гозданкеры их назначали, а мы их перекупали.

Я поздоровался с ними и расцеловался с их женами.

— Приятно видеть, как некоторые процветают, — чуть наклоняясь ко мне и кивая в сторону Гозданкера, блеснул золотыми зубами начальник УВД. — Как говорится, деньги есть, ума не надо.

— Не то что ты, — тут же встряла его жена. — Квартиру дочери все сделать не можешь.

— Зато по мне камера не плачет, — бодро ответил он, подмигивая нам.

При упоминании о камере силовики развеселились. В глубине души они считали, что по нам по всем плачет камера. Признаюсь, мы считали, что по ним тоже.

— Не надо бы, конечно, так демонстрировать свое богатство, — негромко заметил начальник ФСБ с худым испитым лицом. — Скромнее надо жить. Проще.

Сам он жил проще некуда. Получал деньги за «крышу» с крупных предприятий. И приторговывал информацией.

— Разберемся, — добродушно усмехнулся прокурор, водя из стороны в сторону шеей в тщетной попытке ослабить тесноватый воротник рубашки. — Придет еще время.

Прокурор, по слухам, готовился к заслуженной пенсии. И потому проявлял завидную терпимость. Он прикрутил весь частный бизнес в одном из небольших городов нашей губернии, посадил туда своих племянников и вытрясал из городка душу. Зато ни в столице области, ни в соседнем Нижнеуральске у него финансовых интересов почти не было.

Да и зачем ему, если каждый вычеркнутый из приговора год стоил от пяти до десяти тысяч долларов, в зависимости от тяжести обвинения. Короче, он смело смотрел в глаза коллегам. И даже иногда по-дружески выговаривал начальнику УВД, который бывал в своих аппетитах невоздержан, а в методах неразборчив.

Меня они не стеснялись. Я был почти что свой. Простой, бесхитростный парень. На службе алчного олигарха. Три года максимум.

Мне они тоже нравились. Я любил их манеру выражаться. Слово генерала. Честь мундира. Родина дала приказ. Дай бог им крепкого здоровья и порядочных богатых невест. Можно беременных.

2

В провинции на праздники наряжаются так, что лучше бы, право, приходили голыми. Меня вдохновляют короткие открытые платья в обтяжку на приземистых пожилых ватрушках и светлые спортивные туфли на их мужьях в темных костюмах. Хотя, конечно, и то и другое меркнет по сравнению с красными и белыми лосинами, аппетитно обтягивающими окорока откормленных банкирских дочек. Лосины, кстати, особенно эффектны в сочетании со шляпами в перьях.

В этом смысле наиболее пристойно смотрятся бандиты, которым галстуки и другие вольности не положены по уголовному этикету, и потому они носят джинсы, черные пиджаки и такие же водолазки.

Впрочем, демократия губернской моды давала мне одно важное преимущество. Не питая любви к официальным торжествам, но и не желая вовсе пренебрегать протоколом, я время от времени проделывал один спасительный трюк. Напялив какой-нибудь экстравагантный пиджак запоминающегося цвета и приехав минут на пятнадцать пораньше, я расхаживал в фойе, обнимаясь со всеми подряд и обмениваясь любезностями.

Когда же раздавался звонок и толпа покорно тянулась в зал, Гоша подгонял мне машину к крыльцу, я незаметно выскакивал и быстро уезжал. Все помнили, что я был и, наверное, где-то по-прежнему есть. Ну не может же такой нарядный мужчина просто взять и куда-то исчезнуть.

Храповицкий, между прочим, тоже опоздал, и тоже намеренно. Он появился в сопровождении трех охранников, что было несколько странно, поскольку все остальные были, так сказать, сами по себе и нападать друг на друга, судя по всему, не собирались.

Одет он был в белый летний костюм от Версаче, белые туфли и черную прозрачную майку, под которой на груди проглядывался огромный золотой крест, усыпанный бриллиантами. На его правой руке красовался массивный браслет, а на мизинце ослепительно сверкало кольцо с бриллиантом в шесть карат. Гости любовались им с нескрываемым восхищением.

Женщин он на официальные мероприятия никогда не брал, считая неприличным дразнить завистливых чиновников своими яркими молодыми любовницами, про которых все, впрочем, и так знали. К тому же его появление с любой из них неизбежно привело бы к истерикам всех остальных.

Толпа заволновалась — появился губернатор, с женой, или, как почтительно зашептались гости, «с супругой». Гозданкер сорвался с места и неуклюже засеменил навстречу.

Губернатору Егору Лисецкому недавно исполнилось пятьдесят три. Это был все еще очень красивый мужчина с густыми темно-русыми волосами, коротким прямым носом и голубыми глазами. Он был бы весьма импозантен, если бы не излишняя полнота, которая заставляла его вечно расстегивать верхнюю пуговицу воротника, впивавшегося в шею, и опускать на грудь галстук.

Его взлет был поздним. В молодости, после окончания авиационного института, он некоторое время работал третьим секретарем райкома комсомола. Но партийная карьера у него не сложилась. Подозрительное коммунистическое начальство почему-то упорно считало его проходимцем.

Потом он долго учился в аспирантуре, но диссертацию так и не защитил и осел заведующим лабораторией в политехническом институте. Подрабатывал тем, что «бомбил» на своей «копейке» и время от времени, благодаря привлекательной внешности, завязывал мимолетные романы со своими пассажирками на заднем сиденье. На любви он, правда, не зарабатывал. Но зато и не тратился. Незаурядный экономист проглядывал в нем смолоду.

С наступлением новых времен он создал кооператив и пробовал торговать болгарскими компьютерами, но дело не выгорело. И тут случились первые демократические выборы в первый демократический парламент области, именовавшийся тогда Советом депутатов. И Лисецкий пошел в политику.

Правда, шансов стать депутатом у него не было даже в то время. Когда трех сотен голосов соседей хватало для победы. Но ему помогли женщины.

Бывшая боевая подруга по комсомолу, возглавлявшая избирательный комитет, провела его по округу, где Лисецкий был единственным кандидатом.

Коммунисты и демократы набрали в областном Совете примерно равное число голосов и потому никак не могли выбрать председателя. Неделю парламент бурлил и не приступал к работе. Срочно требовался нейтральный кандидат.

Лисецкий, естественно, был коммунистом. Но по партийной принадлежности. А по тайным убеждениям являлся демократом, что тоже естественно, ибо романы с малознакомыми женщинами в автомобиле и нажива на скверных компьютерах с коммунистической моралью не согласовывались. А с демократической моралью вполне согласовывалось и не такое. По причине ее отсутствия.

Все та же подруга, будучи женщиной умной и влиятельной, затеяла многоходовую интригу, убеждая враждующие стороны, что именно безобидный Лисецкий и есть тот председатель, который устроит всех. Ее послушали, и с преимуществом в два голоса Лисецкий стал главой парламента.

Советы не играли тогда заметной роли в жизни области. Всем по-прежнему заправлял обком партии. Но после неудачного путча победивший Ельцин изгнал коммунистов из власти. А главой области своим указом назначил Лисецкого, добросовестно доносившего в Москву о коммунистических происках.

Вверенную его попечению область Лисецкий шкурил с энтузиазмом. Он слишком долго сидел на вторых ролях и спешил наверстать упущенное. Отныне даже муха не могла пролететь в его кабинете, чтобы Лисецкий тут же не потребовал с нее платы за пересечение экстерриториального пространства.

У Лисецкого была на редкость красивая жена, Елена, пятнадцатью годами его моложе, с длинными светлыми волосами и безукоризненными чертами холодного лица. Однажды мне пришлось быть свидетелем скандала, который она устроила в магазине, где продавщица отказалась нарезать ей стограммовый кусок колбасы, с тех пор я не верю в физиогномику.

Губернатор мимоходом пожал руку Гозданкеру и проследовал в зал. За ним, толкаясь, потянулись все остальные. После ремонта акустика здесь была ужасной, зато кресла весьма удобные — их закупала по бешеным ценам где-то за границей фирма, которой владела Елена.

Мы с Храповицким сидели в девятом ряду партера. Гозданкер с губернатором и его женой — двумя рядами ближе к сцене. Опускаясь в кресло, Гозданкер не удержался, чтобы не окинуть нас торжествующим взглядом.

— Дождешься, сука, — тихо, так, что слышал я один, пообещал Храповицкий, приветливо ему улыбаясь и кивая.

Первым, разумеется, поздравлял губернатор. Он поднялся на сцену и, вместо того чтобы незатейливо пожелать Ефиму и банку дальнейшего процветания, принялся многословно повествовать о существующих в Америке школах экономики, объясняя, приверженцем какой именно из них он сам является. Когда он публично выступал, то почему-то жеманно поджимал губы, и голос его становился слишком высоким, почти женским. Зная его манеру учить окружающих тому, что стало ему известно полчаса назад, я сделал вывод, что он решил восполнить пробелы в своем образовании.

— Вот уж не думал, что в Штатах существуют целые школы, разрабатывающие способы воровства из нашего областного бюджета, — шепнул я Храповицкому.

Он улыбнулся, но пихнул меня в бок. Он не любил шуток над вышестоящими. Чинопочитание было у него в крови.

— Интересно, — бормотал я как будто про себя. — Только в нашей губернии воруют по американской системе? А во всей остальной России, выходит, это делают как получится.

Храповицкий сделал вид, что не слышит.

Речь губернатора была встречена бурными аплодисментами. Кто-то даже крикнул «Браво!».

Храповицкий тоже хлопал с энтузиазмом, даже чуть подался вперед. Я хотел было предложить ему попросить губернатора исполнить ту же арию еще раз на «бис», но подумал, что он этого не одобрит. Да и я бы второй раз не выдержал.

Потом слово получил председатель регионального парламента, старенький, пьяненький и пустой, как бубен. Он не разделял моих убеждений в том, что рот лучше открывать через несколько секунд после появления мысли в голове или хотя бы одновременно. Для него эти процессы не имели ничего общего, поэтому ни он сам, ни слушатели никогда не старались вникнуть в смысл его речей.

— Ты уже общался с Пономарем? — шепотом спросил Храповицкий.

— Нет, еще не успел, — ответил я так же.

— Поговори обязательно, — попросил он. — Мне не нравится вся эта история. Что-то здесь не так.

Все поздравлявшие дарили подарки. В основном это были картины с пейзажами местных художников в золоченых рамах. Если бы не официальные торжества, живопись умерла бы в нашей губернии. Храповицкий, правда, внес некоторое разнообразие, подарив дорогой златоустовский клинок с самоцветами.

Вообще он единственный из поздравлявших говорил связно и коротко. В своем белом костюме и блеске бриллиантов на сцене он выглядел неотразимо.

— Что ж ты не рубанул Ефима принародно? — осведомился я, когда он вернулся в кресло.

— Нет, такой способ хорош для Виктора, — ответил Храповицкий, никогда не упускавший возможности напомнить о славном мясницком прошлом своего партнера. — Что до меня, — он невинно похлопал ресницами, — то я предпочитаю неторопливое удушение. Чтобы насладиться его страданиями.

— Кстати, что-то не видно ни Виктора, ни Васи. Ты не знаешь, почему их нет?

— Чует мое сердце, что загуляли, — отозвался Храповицкий с тяжелым вздохом. Глаза его, впрочем, лукаво блеснули. Ему нравилось, когда Виктор запивал. Выходя, он становился покаянным и сговорчивым.

После поздравлений были концертные номера, исполняемые городскими артистами.

— Вот жмоты, — посетовал Храповицкий. — Не могли привезти кого-нибудь из Москвы. Сиди теперь и слушай эту самодеятельность.

Наконец, торжественная часть завершилась, и народ повалил из зала. После короткого перерыва предполагался фуршет. Но не для всех, а для особо избранных, получивших к приглашению специальный талон. Храповицкий и я были в числе избранных. Но идти на фуршет он категорически отказался. Я бы тоже ушел, если бы не его поручение.

3

Во время наших фуршетов губернский бомонд набрасывается на еду с такой жадностью, как будто его никогда не кормили. Хотя своей комплекцией никто из этих состоятельных людей не напоминал узников Освенцима. Некоторые еще норовят прихватить что-нибудь с собой.

Помню, как на новогоднем балу родная сестра губернаторской жены, порядком перебрав со спиртным, тащила со стола и с трудом запихивала в дамскую сумочку огромную бутылку дешевого советского шампанского. Она возглавляла областной департамент здравоохранения, и их с губернатором частная фирма владела монополией на торговлю лекарствами в области.

Пока народ торопливо давился бутербродами с икрой под вальсы Штрауса в чудовищном исполнении нашего оркестра, я пробрался к Пономарю, который стоял за дальним столом в углу.

Пономарь был ровесником Храповицкого. Он был очень высокий, под два метра ростом, так что я едва доходил ему до плеча, плотный, с круглым румяным лицом, ямочками на щеках и застенчивой улыбкой. Он полностью облысел, когда ему еще не исполнилось тридцати. Лысина его, впрочем, не портила, придавая его облику нечто трогательно-младенческое.

Пономарь был франтом и костюмы заказывал в Италии. Он носил рубашки с воротником-стойкой. Галстуков он избегал в силу своего сложного, не имеющего определения в бандитских понятиях, статуса коммерсанта с собственной бригадой.

Рядом с Пономарем крутился Плохиш, который в последнее время не отлучался от него ни на шаг. Плохишу еще не исполнилось тридцати. Как его звали, я не помнил, а фамилия его была Плохов.

Свое довольно обидное прозвище он получил не столько из-за фамилии, сколько в результате поразительного сходства с отрицательным персонажем детской поучительной книжки. Он был невысоким, толстеньким, с редкими рыжими волосами и маленькими хитрыми бегающими глазками. Глядя на него, вы живо представляли, как в детстве он воровал у бабушки варенье и банками поедал его в темном углу.

Между тем в отличие от Пономаря, который поднимался из пролетарских низов и начинал с того, что мыл кружки в пивном баре, Плохиш был из приличной семьи. Мать его работала учительницей в школе, а отец возглавлял большую строительную организацию.

Плохиш и сам окончил строительный институт, но строить он не собирался. Еще на пятом курсе он начал подрабатывать официантом, потом занялся оптово-розничной торговлей, иначе говоря, продавал в ларьках все, что покупали — от колготок до поддельной водки. Он преуспевал, пока в один неудачный для Плохиша день на него не наехали бандиты. И нажитое неправедным трудом благосостояние Плохиша перешло в беспечные руки братвы.

После этого удара судьбы Плохиш понял, что отнимать легче, чем приобретать. И твердо решил стать бандитом. Некоторое время он был водителем и подручным Пономаря, затем сколотил собственную бригаду. И уже от своего имени обложил непомерной данью дюжину трепетных ларечников, создавших ему славу отморозка и отчаянного уголовника.

Постепенно многочисленные объекты, которые старший Плохов начинал строить при коммунизме, но не успел завершить в связи с грянувшей демократией и отсутствием государственного финансирования, стали частной собственностью Плохиша. И этой собственностью он распоряжался с умом и выгодой.

Но главной его добычей сделался железнодорожный вокзал. С помощью папы он договорился с начальником вокзала, и теперь они на пару владели этим маленьким городком с просторными зданиями, несметными забегаловками и парой гостиниц, куда Плохиш внедрил армию дешевых проституток.

В настоящее время Плохиш был богатым человеком и лихим бригадиром. Он уже дерзко приговаривал коммерсантов, ходил с пистолетом и буянил в ресторанах. Но криминальные авторитеты по-прежнему не принимали его всерьез, что рано или поздно могло закончиться для Плохиша довольно скверно, как и любое присвоение незаслуженных отличий. Понимая это, он, на всякий случай, держался подле Пономаря, чей авторитет отбрасывал отблеск и на мутную деятельность Плохиша.

Одет был Плохиш в черные джинсы, черную майку и черный пиджак. Как и все в России, он считал, что черный цвет стройнит. Как и ко всей России, к нему это не относилось.

Я пожал им руки на бандитский манер — двумя руками и осведомился, как дела.

— Погано, — с готовностью отозвался Плохиш и сердито надул пухлые щеки. — Денег-то нет. Телки не любят. А дальше будет еще хуже.

Отличительной чертой Плохиша было то, что он все время ныл и жаловался на отсутствие в его жизни денег, красивых женщин и карьерных перспектив.

Пономарь, напротив, всегда держался с достоинством и делал хорошую мину, даже когда его игра шла хуже некуда.

— Нормально, — отрывисто ответил он. — Собрался было уехать отдохнуть, да вот дела задержали.

У него была своеобразная манера говорить: неожиданно понижая голос и проглатывая слова. Возможно, этому он и был обязан своим произвищем.

— Чего ждать-то? — встрял Плохиш. — Надо выламываться за кордон, пока не поздно.

— Сначала надо разобраться, кто мне офис разнес, — мрачно возразил Пономарь и поморщился. — Не меньше сотни зеленью в ремонт придется вложить. Шакалы.

Эта тема явно не давала ему покоя.

— Ты, кстати, еще не узнал, кто это постарался? — спросил я небрежно.

— Да я и так знаю. Поймать только не могу. — Пономарь сжал в кулаке пластиковый стаканчик так, что вино из него расплескалось. Когда он сердился, его детское лицо принимало обиженное выражение. — Мразь бродячая. Которую из бригад повыгоняли. Я уже со всеми нормальными бригадирами встретился. — Он понизил голос до шепота и заговорил неразборчиво. — Они сами в шоке. Говорят, только покажи пальцем, порвем, как газету.

— Это мусора сотворили! — вдруг убежденно заявил Плохиш. — Гляди, их тут сколько. И всем денег надо. У них прямо на рожах написано.

— Ты тоже не похож на филантропа, — сказал я.

— На кого не похож? — подозрительно нахмурился Плохиш. Его редкие рыжие волосы встопорщились. — А при чем тут вообще я? Вечно на меня стрелки переводят! Я, что ль, это подстроил? Точно говорю, мусора! Они всегда так делают. Под шумок устроят пакость, стравят пацанов. Потом начинается война, они и тех и других хватают — и в каталажку. А сами чужих коммерсантов прикручивают. А закроют-то, между прочим, нас с Саней! Мы вечно у мусоров крайние.

С полгода назад Плохиша неделю продержали в камере по жалобе обобранного им уличного торговца. Плохиш откупился и с тех пор считал себя бывалым уголовником.

— Может, конечно, и мусора, — непоследовательно согласился Пономарь. — Хотя я больше грешу не на них.

Пономарь врал. И врал неубедительно. Шпана на него бы не полезла, не ее масштаб. Что же касается ментов, то их он прикормил еще в дни своей торгашеской юности.

За нападением на его офис явно крылось что-то другое, и он точно знал что. И еще он был очень напуган. Что было ему вовсе не свойственно и что он всеми силами пытался скрыть. В глазах губернского бизнеса и криминала ему во что бы то ни стало нужно было сохранить лицо. Поэтому он и топтался здесь, вместо того чтобы отсиживаться на Кипре, где у него, как, впрочем, и у Плохиша, был свой дом.

Я видел, что правды я от него не добьюсь, и сменил тему, поинтересовавшись, нравится ли ему праздник.

— Хороший праздник, — сдержанно ответил Пономарь. — Молодцы ребята. Поднялись. Знают, с кем дружить. Не то что мы.

А это уже был скрытый упрек нам, которые упорно не давали ни Пономарю, ни Плохишу квоты на нефть, хотя они постоянно просили.

— Да уж, — завистливо подхватил Плохиш. — А тут бьешься как рыба об лед и, кроме тюрьмы, ничего не видишь. — Он обиженно развел руками с короткими толстыми пальцами, на которых сверкали бриллиантовые кольца. — Вы бы хоть с Храповицким что-нибудь подкинули, а то помрем скоро с голоду.

— Это ты с голодухи так опух? — поинтересовался я, ткнув Плохиша пальцем в круглый живот.

Если Плохиш и обиделся, то предпочел этого не показывать. Кстати, Пономарь тоже носил кольцо с огромным бриллиантом на безымянном пальце. Но в отличие от Плохиша в официальных учреждениях поворачивал его камнем внутрь, чтобы оно походило на обручальное.

— А помнишь, Сань, — уважительно обнял Плохиш Пономаря. — Как мы Ефима в багажнике возили? Он тогда со своими грибами носился, а нам денег за крышу не платил.

— Брось ты выдумывать! — отмахнулся Пономарь. Он немного стеснялся рассказывать при мне о своих бандитских проделках.

— Че выдумывать! Правду говорю! — не унимался Плохиш. Его, напротив, распирало от гордости. Он возбудился. — Там, главное, и сумма-то была — копейки. Саня меня послал с пацанами. Я приезжаю к этому подвалу, где Ефим свои мухоморы выращивал, а там, понял, сырость такая! Мрак. В натуре, хуже, чем в камере. Пацаны говорят, слышь, мы туда не пойдем. Че тут брать-то! Короче, я иду один, хватаю клюшку для гольфа, слова худого не говоря, как шарахну Ефима по башке! Он — с копыт. Вытаскиваю его на улицу, братва сует его в багажник и везем к Сане. Еле живой был, когда доставали. Я, в натуре, думал, окочурится.

— Попадешь ты когда-нибудь за свой язык, — оборвал его Пономарь. — Ефим теперь сам кого хочешь в багажник засунет.

Гозданкер в это время неспешно беседовал с губернаторской четой о чем-то важном. Почувствовав мой взгляд, губернатор повернулся в нашу сторону и заговорщицки мне подмигнул, вероятно, намекая на завтрашнюю поездку. Следом за ним обернулся и Гозданкер и небрежно помахал нам рукой.

— А ты заметил, что Кулакова нет? — вдруг спросил Пономарь.

— Может, не пригласили? — предположил Плохиш.

— Чтобы мэра да не пригласили! Скажешь тоже! — Как и многие бизнесмены, Пономарь считал себя знатоком политических раскладов. — Черносбруев-то вон крутится. А кто он такой по сравнению с Кулаковым! Нет, это Кулаков специально к врагам не пошел. Чует засаду.

Но я уже не слушал их. Я смотрел в другую сторону. И было на что посмотреть.

4

Она стояла в другом конце зала. Высокая, лет двадцати двух, с густыми черными волосами в художественном беспорядке, черными, ночными, блестящими глазами, тонким носом и подвижным большим ртом. Она с нескрываемым любопытством наблюдала за всем происходящим, и смена впечатлений легко читалась на ее выразительном лице.

На ней был оранжево-красный тесный пиджак, такая же короткая юбка и рыжие замшевые сапоги. Среди губернского бомонда она выглядела как-то крамольно, как всполох пламени.

Даже не знаю, что мне нравится в женщинах больше: породные носы или отсутствие вызова в глазах. И то и другое у нас большая редкость. Порода в России вывелась давно, и незнакомые женщины обычно смотрят на вас с высокомерным вызовом. Как будто это вы вчера, будучи пьяным, тупо приставали к ней на вечеринке и были с позором выведены из зала ее мужем.

Может, они считают, что именно таким взглядом должны встречать мужчину настоящие дамы, а может быть, просто бессознательно копируют агрессию проституток, которые также диктуют моду нашим женщинам, как бандиты — мужчинам.

Я пробрался сквозь толпу и, поравнявшись с девушкой, некоторое время постоял рядом, нарочно не глядя открыто в ее сторону, чтобы не спугнуть.

Краем глаза я отметил ее тонкие запястья и длинные ноги с узкими коленками. Между тем худой она не была. Я обожаю эти боттичеллиевские линии: прямые плечи, высокая талия, скрипичный изгиб бедра и изящные лодыжки.

Такие женщины сохраняют летящую легкость, даже набирая лишний вес. И, лаская их, вы сходите с ума оттого, что ваши руки знают тайну, скрытую от глаз.

Поглощенная своими наблюдениями, она не расслышала мотива судьбы из Пятой симфонии Бетховена. Она слышала дребезжание нашего раздолбанного оркестра и нестройный шум голосов. А зря. Я был уже близко.

Между нами говоря, вовсе не обязательно спать с женщиной для того чтобы понять, стоило ли это делать. Обладая некоторой наблюдательностью и опытом, вы через полчаса общения можете определить, следует ли приглашать даму к себе сегодня, не лучше ли это сделать через неделю или вовсе отказаться от подобной затеи.

Посторонних мужчин рядом с ней не наблюдалось, и не было похоже, что она кого-то дожидалась. Странно, что я ее прежде не встречал.

— Простите, вы не на телевидении работаете? — начал я. — Мне кажется, я видел ваше лицо.

— Нет, — ответила она весело. — И никогда не работала. Равно как в «Потенциале». Даже «крышу» им делаю не я. Хотя, говорят, я похожа на бандитку. — Она состроила забавную гримасу. — Я здесь вообще случайно. По чужому приглашению. Практически никого здесь не знаю.

Голос был с легкой хрипотцой, не высокий и не звонкий. Стоило попробовать.

— Какое совпадение, — фальшиво обрадовался я. — Я тоже попал сюда случайно. Зашел в филармонию, после работы, думал, отдохну душой, послушаю музыку. Я, кстати, врач по профессии. Терапевт. Моя фамилия...

— Хватит врать-то, — прервала она бесцеремонно, обжигая меня взглядом. — Вас зовут Андрей Решетов. Вы у Храповицкого работаете. Вас весь город знает. Раньше вы выпускали интересные газеты, всех разоблачали. А потом продались нефтяникам и стали писать всякую чушь.

Это замечание мало походило на комплимент. Оно наводило на мысль о том, что город знает меня не с лучшей стороны, и приятного продолжения знакомства не сулило.

Можно было, конечно, ответить, что я не интересуюсь чужим мнением о себе. Но эта гордая реплика наталкивалась на легкое опровержение: тогда какого черта я старался ей понравиться?

Пока я раздумывал над достойным ответом, она продолжала:

— Да вы не обижайтесь. Вы тут далеко не худший экземпляр. — Она примирительно улыбнулась своими полными губами.

— Я надеюсь, — отозвался я со сдержанным достоинством. — Стремлюсь к совершенству. Просто не всегда получается...

Она не слушала.

— Не понимаю, что люди находят хорошего в подобных мероприятиях? — рассуждала она вслух. — Все обнимаются, а сами ненавидят друг друга.

Я мог бы мстительно возразить, что она, в некотором роде, тоже здесь. Среди обнимающихся и ненавидящих. Но делать этого я не стал. Мне чужда мелочность. Я вообще не спорю с женщинами, пока они не начинают критиковать мои вкусы в отношении других женщин.

— Да, — подхватил я с энтузиазмом. — Это точно. Я и сам думал, как тягостно здесь, среди всей этой фальши и пересоленных объедков, двум столь рафинированным и искренним людям, как вы и я! Между прочим, я знаю пару тихих мест неподалеку...

— Вы ко мне пристаете? — Она по-прежнему улыбалась, но ночные глаза сделались настороженными.

— Нет еще, — ответил я поспешно. — Я так быстро не могу. Я старомодный. Мне нужно время. Боюсь случайных знакомств и все такое.

— А мне про вас говорили другое, — заметила она упрямо. — Мне рассказывали...

— Что я пишу плохие стихи? — перебил я. — Это неправда. На самом деле я рисую замечательные картины. И, заметьте, никакой обнаженки. Только пейзажи. Морские. Утро в лесу. Три медведя. Иван Грозный убивает своего сына. В этом духе. Просто я их не показываю. Как вы думаете, почему это губернатор на вас так подозрительно смотрит?

На всякий случай следовало отойти от опасной темы моего бурного прошлого.

— Мне кажется, он смотрит совсем в другую сторону, — сказала она удивленно. Странно, что при таких данных она была столь доверчива.

— Это сейчас. А раньше он смотрел на вас. И подмигивал. Двумя глазами. Вот так. — Я показал, как подмигивал ей губернатор. Будто бы.

— Вы опять выдумываете! Зачем ему подмигивать незнакомым девушкам при жене. Тем более такой стерве. Кстати, почему вы не спрашиваете, как меня зовут. Меня зовут Наташа. Мне двадцать один год. Я не замужем. Еще вопросы есть?

Была еще пара вопросов. Но задавать их было пока рано.

5

Как-то Храповицкий объяснял мне, почему он никогда не отпускает своих женщин в Москву без охраны.

— Ты только представь себе, что в самолете к ней подсядет праздный бездельник вроде тебя. И начнет болтать, как ты это обычно делаешь в обществе женщин, изображая из себя порядочного и умного человека. И по-настоящему порядочный и умный человек, — он ткнул себя в грудь пальцем, — покажется ей скучным и неинтересным. Я же не рассыпаюсь в восторгах и вместо комплиментов просто даю деньги. А это так банально! И вот когда через пару часов самолет приземлится, то завороженная дурочка поедет не в свой отель, а в твой. Даже не соображая, что она делает. А потом вернется ко мне. За моими банальными деньгами. Да еще по глупости обо всем расскажет. Ты-то, подлец, потом и не вспомнишь. А мне что прикажешь делать!

Оценка моего красноречия была существенно завышена. А моральных качеств — занижена.

Да и в целом, должен отметить, он понимал проблему совершенно неправильно. Восхищавшие его капризные худосочные красавицы не бередили во мне отрадного мечтания, даже когда я выпивал. Чего я давно уже не делал.

За час, который прошел с того момента, как я подошел к Наташе, до той минуты, как сажал ее в свою машину, мое участие в нашем диалоге в основном сводилось к мычащим репликам.

— Зачем тебе столько охраны? — спросила она, когда мы тронулись с места. Она уже давно перешла на «ты». — Кого ты боишься?

— Кроме тебя — никого. С тобой почему-то робею. Твоя красота меня подавляет. Жалею, что так и не дочитал «Критику чистого разума» Канта. Смог бы достойно поддержать беседу.

— Правда? — Она была в восторге и, опустив зеркальце над лобовым стеклом, бросила в него взгляд. — Значит, ты и впрямь не такой наглый, как мне говорили. Это хорошо. А может, наоборот, плохо. А тебе не скучно жить? — вдруг спросила она без всякой последовательности.

Я задумался. Обычно, когда люди задают вам подобные вопросы, они мало интересуются вашими ответами. Люди вообще редко думают о том, что чувствуют другие. Они спрашивают о том, что тревожит их самих.

— Судя по вопросу, ты недавно рассталась с молодым человеком, — уклонился я от ответа. — По собственной инициативе. И любви пока не обрела.

— Можно сказать и так, — засмеялась она. В профиль было заметно, что у нее длинные, словно наклеенные ресницы, которые делали черные глаза смоляными. — У меня с любовью как-то не очень получается. То ли я эгоистка, то ли достойных мало. И долгие отношения у меня не складываются. В этом плане мы с тобой похожи. Ведь так?

— Как две капли воды, — кивнул я. В эту минуту я согласился бы с чем угодно. — Удивительно, что нас до сих пор не путают.

Мне нравилась ее непоследовательность и музыка ее голоса. Иное дело, что, хотя говорила она почти беспрерывно, подробностей ее биографии я знал ничуть не больше, чем вначале.

Я привез ее в «Мираж», помпезный и несуразный ресторан с претензией на французскую кухню, повар которого прежде явно специализировался на травле грызунов. Но если вы неравнодушны к еде, то вам вообще не следует ходить в провинции по ресторанам. Лучше покупайте чипсы в магазинах.

Я ездил в «Мираж» только потому, что из-за непомерных цен здесь никогда не было народу. Но на сей раз я не угадал.

Вышколенный моими чаевыми швейцар подскочил к машине и открыл дверцу.

— Рады вас видеть, Андрей Дмитриевич, — затараторил он. — Желанный гость — для нас радость. У нас, правда, сегодня банкет. Но вас мы посадим в отдельном зале. Никакого беспокойства вам не будет.

— Тебя тут знают, — заметила Наташа насмешливо. Услужливость персонала не произвела на нее впечатления.

Попасть с банкета на банкет — довольно глупо. Но уезжать мне показалось не умнее.

Два зала соединялись между собой аркой. Метрдотель проводил нас в тот, что поменьше, с позолоченным фонтаном посередине. Мы здесь были одни. Зато в большом зале бушевало веселье. Там сидело человек сорок, в основном молодежь не старше тридцати лет.

Банкет, видимо, продолжался не первый час. Девушки со стершейся губной помадой и потерявшими первоначальную привлекательность прическами визжали и громко хохотали. Раскрасневшиеся молодые люди уже сняли пиджаки и наперебой старались друг друга перекричать. Кто-то неуклюже бегал по залу. Отделившаяся группа в углу пыталась петь нестройными голосами.

— Кто гуляет? — спросил я у метрдотеля.

— «Золотая нива». Инвестиционный фонд. Слышали про такой? Солидная организация.

Я слышал. «Золотая нива» была одной из тех однодневок по обиранию граждан, что, как грибы, произрастали в провинции после скандальных крахов в Москве знаменитых финансовых пирамид. Хотя местные мошенники работали совсем топорно: фирмы регистрировались на беспаспортных бомжей или давно почивших граждан, а расписки в получении денег писались от руки, — народ по-прежнему выстраивался в очередь, чтобы под обещанные триста процентов годовых отдать туда свои накопления.

— Чем ты занимаешься? — спросил я, когда мы сели за столик и она заказала мартини, а я — минеральной воды.

— Да, в сущности, ничем, — пожала она плечами и своей узкой рукой откинула непослушные волосы. — Просто живу. Ну, еще учусь. В институте культуры, на режиссерском отделении.

Институт культуры был кладбищем местных творческих амбиций. Я промолчал, но, наверное, что-то отразилось на моем лице.

— Ты хочешь сказать, что там учатся одни бездарности? — улыбнулась она. Я хотел притворно возразить, но она не дала. — Это правильно. Но в семнадцать лет я же не думала, что я бездарность. Мне хотелось заниматься чем-то творческим. Может быть, потому, что ни к чему другому я неспособна. А года через три, когда я уже все поняла, было просто жалко бросать. Ведь надо же где-нибудь учиться. Кстати, а где ты сам учился?

Ответить я не успел. Веселье в соседнем зале достигло апогея и перешло в новую фазу. Кто-то принес из машины магнитофонные кассеты и на полную громкость включил стоявший у стены музыкальный центр с мощными динамиками. Музыка загрохотала так, что, казалось, потрескаются стены. Сотрудники «Золотой нивы» пустились танцевать.

Я поманил рукой Гошу, который маячил у входа, неодобрительно взирая на чужой праздник. Он кивнул, показывая, что понял мою просьбу. Осторожно пробравшись через пляшущую толпу, он подошел к музыкальному центру и убавил звук. К нему тут же подскочили две пьяные девушки и, оттолкнув его, вернули громкость в прежнее состояние.

Гоша укоризненно покачал головой и повторил попытку. Результат был тем же. К девушкам добавилось несколько парней. Теперь вокруг Гоши толкалось человек шесть. Они размахивали руками и что-то кричали, но голосов было не разобрать. Видя бесполезность дальнейших убеждений, Гоша грустно посмотрел на них, сделал несколько шагов в сторону и достал рацию. Через минуту в ресторане появились еще двое моих охранников.

Почувствовав, что дело заходит слишком далеко, я встал, чтобы их остановить, но было поздно. Гоша решительно выдернул шнур музыкального центра из розетки и во внезапно наступившей тишине объявил на весь зал:

— По техническим причинам дискотека отменяется. Администрация приносит свои извинения. Просьба всем покинуть помещение.

Раздались возмущенные возгласы и звон разбитого стекла. Видно, кто-то уронил бокал.

— Ты кто такой, чтоб здесь командовать?! — выкрикнула какая-то толстуха. Остальные одобрительно загудели.

Вступать в пререкания Гоша счел ниже своего достоинства.

— Я же сказал, прошу разойтись! — повторил он твердо.

— Да что вы смотрите на этих козлов! — завизжала вдруг одна из девушек, подступая к Гоше с отчетливым намерением вцепиться ему в волосы. — Набейте им морду! Вас же больше!

Суровое лицо Гоши окаменело. Он не шелохнулся, лишь сжал зубы, так, что проступили тяжелые скулы. Я понимал, что теперь он не отступится. Мои охранники стояли рядом, и выражение их оскорбленных физиономий не сулило ничего хорошего. Приказы Гоши они выполняли беспрекословно, и то, что кто-то осмелился с ним спорить, их коробило.

Отсиживаться дальше, делая вид, что я зашел сюда случайно, поболтать со швейцаром, я не мог. Проклиная про себя Гошину строптивость, я пробормотал Наташе, что сейчас вернусь, снял пиджак и присоединился к своим, прикидывая наши шансы в предстоящей драке. Шансы, в общем-то, были. Но не на победу.

Перепуганные официанты сгрудились в проходе. Бледный метрдотель метался между ними, не зная, что предпринять.

Мое присутствие Гошу окончательно распоясало.

— Считаю до трех! — торжественно заявил он. — Раз. Два!

Я думал, сейчас начнется. По моим расчетам, на «три» я успевал дать в челюсть парню передо мною и врезать по печени тому, что сбоку. Дальше пошла бы свалка.

Драки, однако, не случилось.

— Да ладно! — подал, наконец, голос один из парней, по-видимому, старший в этой компании. — Чего связываться с идиотами. Бандиты какие-то! Да и поздно уже. Все равно домой собирались.

Призывавшая к сражению девушка плюнула в нашу сторону, и «Золотая нива» гуськом поплелась к выходу.

— Не забудьте заплатить по счету! — добавил Гоша, торжествуя.

— Я тебя убью, — процедил я Гоше сквозь зубы.

— Никак нельзя, — ответил он строго. — Три семьи кормлю.

6

— Вообще-то с твоей стороны это свинство! — возмущенно сообщила мне Наташа, когда мы сели в машину. — Какое право ты имел выгонять людей! Ты испортил им праздник! Мы должны были уйти.

— Мы и ушли, — сказал я. Наверное, она была права. Перед уходом я, правда, сунул метрдотелю полторы тысячи долларов в качестве компенсации за скандал, но совесть меня точила. — Я не могу быть таким хорошим, как тебе хочется. Мы слишком редко видимся.

В ответ она фыркнула.

— А ты действительно собирался драться? — вдруг поинтересовалась она, в присущей ей манере перескакивая с одной темы на другую.

— А что мне оставалось делать, — угрюмо отозвался я. — Смотреть, как по моей вине бьют мою охрану?

— Дурь какая-то! — возразила она. — Хоть у кого-то в вашей милой команде должна же быть голова на плечах! Кстати, куда мы едем?

— Мы уже приехали, — ответил я, останавливаясь возле своего дома.

— И к тому же ты наглец! — заключила она, выходя из машины. — Я не собираюсь с тобой спать.

— Я надеюсь, — заметил я. — Спать можно и по отдельности.

Она вновь фыркнула.

У меня дома мы еще с полчаса сидели на кухне, пока она заканчивала очередной бокал мартини, а я обдумывал дальнейший план действий.

Когда мой взгляд падал на ее плавные бедра с узкими коленками, я чувствовал сухость во рту и жаркую истому в крови. Я торопливо поднимал глаза, видел ее полные губы и понимал, что если я не поцелую ее сейчас, то до конца своих дней буду считать, что жил я зря.

Но чудом сохранявшиеся остатки разума подсказывали мне, что эту ночь лучше пропустить. Градус влечения должен быть одинаков, иначе все теряет смысл.

Отчаянным усилием я дотоптал в себе зверя и поднялся.

— У меня здесь две спальни, каждая с душем, — произнес я как можно более обыденно. — Пойдем, я покажу тебе твою.

Ее ночные глаза удивленно распахнулись, потом в них мелькнуло что-то похожее на уважение.

— Ты уже устал? — спросила она осторожно. — Я надеялась, что мы еще поболтаем.

— Я не устал, — ответил я честно. — Просто еще пять минут, и я не выдержу.

Она обожгла меня взглядом, но промолчала. Больше она ни о чем не спрашивала.

Я проводил ее в крыло, где жил мой сын, когда гостил у меня, пожелал спокойной ночи и ушел.

Черт, я действительно ушел, чтобы до четырех часов ночи ворочаться на кровати, попеременно то открывая книги, в которых не понимал ни слова, то вставляя в видеомагнитофон кассеты с мелькавшими кадрами вместо фильмов.

Наверное, я поступил правильно. Но очень глупо. Черт. Черт.

Вскочил я по обыкновению рано и, спустившись вниз, попросил охрану, которая всегда прибывала к восьми, съездить и купить штук двадцать роз.

Через полчаса с этой охапкой я поднялся к ней, положил цветы на подушку, рядом с ее лицом, и осторожно поцеловал ее в густые, разметавшиеся волосы.

Тяжелые ресницы поднялись, открывая яркие, даже после сна, черные глаза.

— Ой, это опять ты?

— Извини, — сказал я. — Я здесь живу. Так получилось.

Она перевела взгляд на цветы.

— Это мне? Серьезно?

— Я подожду тебя внизу, — сказал я вместо ответа.

Минут через сорок она спустилась на кухню свежая, как розы, которые держала в руках, и яркая, как всполох.

Когда мы пили кофе, она посмотрела на меня с веселым вызовом и все-таки спросила:

— Почему ты не пришел ко мне ночью?

Я с сожалением вздохнул.

— Ты мне слишком нравишься. Я не хочу красть мгновения. Если это надолго, то зачем спешить? А если мимолетно, то не стоит и стараться.

— Ты очень испорченный, — сказала она нежно. И ты мне очень нравишься. Только знаешь что? Не проси номер моего телефона. Я сама тебя найду. Я тоже хочу быть уверенной, что это надолго.

Я велел охране отвезти ее домой, и она исчезла. С цветами. И моим усталым сердцем, прихваченным невзначай.

Черт. Дурак. Черт.

ГЛАВА ЧЕТВЕРТАЯ

1

Обычно охрана провожала меня в аэропорт в полном составе, все шесть человек. Такой порядок завел Гоша, по одному ему известным причинам. Но сам он на этот раз взял выходной. Он уже дважды манкировал моими проводами. У Гоши были резоны.

Дело в том, что во время одного из наших последних визитов в Москву, когда Гоша летал с нами, мы с Храповицким затащили его в ночной клуб со стриптизом, который Гоша прежде видел только в кино. Считая, что расфасовка денег по трусам танцовщиц умаляет наше достоинство, мы поручили это Гоше. И разменяв мелочью пару тысяч долларов, посадили его на раздачу.

Гоша добросовестно выдавал купюры подходившим к нему обнаженным девушкам, которые в благодарность залезали ему на колени, елозили грудями по его лицу, расстегивали ему рубашку и всячески вовлекали в процесс, несовместимый с его служебным долгом. Что чувствовал при этом Гоша — понять было невозможно, его лицо оставалось суровым и неприступным. Но когда мы вернулись, он сослался на простуду и три дня не появлялся на работе.

Потом он признался мне, что трое суток пролежал на диване в угаре воспоминаний, запретив жене подходить к нему и даже обращаться.

— Я ведь никогда ни такого количества голых женщин не видел, ни такими деньгами не швырялся, — рассказывал мне Гоша, содрогаясь от переживаний. — И вот лежу я, а у меня перед глазами все это вновь и вновь прокручивается. Эти женщины голые. А я все сую им деньги, сую. Чуть из семьи не ушел, честное слово.

С тех пор, сообщив, что семейный покой дороже разврата, он от поездок в Москву категорически отказывался и даже в аэропорт не ездил, чтобы мы насильно не затолкали его в самолет.

Рядом со мной сейчас сидел Николай, исполнявший обязанности начальника смены. Это был крупный накачанный тридцатилетний парень с застывшим угрюмым лицом. До того как начать работу у меня, он служил военным летчиком в чине капитана. Кажется, он летал на вертолетах и твердо помнил, что в момент опасности надо рвать штурвал на себя. В результате он расколотил мне не одну машину. Но равных в исполнительности он себе не имел. Приказ начальника был для него высшей истиной, обсуждение которой он полагал кощунственным.

Чувства юмора Николай был лишен начисто, чем часто пользовался Гоша в своих проделках.

— Собаку мы похоронили, — коротко доложил мне Николай, когда мы проехали полпути.

— Какую собаку? — не понял я.

— Которую вы ночью сбили, — пояснил он. Всегда помня о своих обязанностях, он не поворачивал головы и не сводил глаз с дороги.

— Я не сбивал собаки, — пробормотал я растерянно.

— Может, забыли, — предположил Николай. — Мне Гоша позвонил ночью, в два тридцать, сказал, что на кольце, как к вашему дому сворачивать, лежит собака. Овчарка. Что вы ее сбили случайно, когда возвращались. Расстроились. И велели похоронить. Я тут же собрался, взял машину, собаку нашел. Завернул в целлофан, отвез в загородный парк и там закопал. Место отметил. Если вы вдруг захотите посмотреть.

Я схватил мобильный телефон и набрал Гошу.

— Какая собака?! — закричал я в трубку. — Что ты еще придумал?!

— Тут видите, как получилось, — обстоятельно стал объяснять Гоша. — Я от вас когда ехал, смотрю, на дороге псина валяется. Кстати, здравствуйте. Надеюсь, вы хорошо себя чувствуете. Я тоже, спасибо, что спросили. Видать, сшиб кто-то. Собаку-то. Жалко же животное. Тем более я собак люблю. Вы же знаете.

— А что же ты ее сам не похоронил? — Я постарался вложить в свой вопрос весь сарказм, на который только был способен.

— Сам? — удивленно переспросил Гоша. Чувствовалось, что подобная мысль не приходила ему в голову. — Как это сам? А Николай на что?

Я отключил телефон. Николай по-прежнему безотрывно смотрел на дорогу. Ни один мускул на его лице не дрогнул.

2

Однажды я увлекся начинающей балериной, которую увидел на сцене во время официального концерта. Помнится, меня поразило тонкое лицо с огромными длинными глазами. Для балерины она была, пожалуй, тяжеловата, но ее пластика заставляла вас думать, что она парит в невесомости.

Недели полторы моя охрана каждый день таскала ей охапки роз, а коррумпированный мною оркестр начинал репетиции с любовных мелодий в ее честь. Потом, когда приличия были соблюдены, я все-таки позвонил, и мы договорились о встрече.

В ресторан она пришла в короткой юбке колокольчиком. Я не успел понять, искупает ли стройность ее ног небольшую грудь. Она опустилась в кресло, разбросав колени и вывернув стопы. В ту же минуту я понял, что переспать с ней мне будет не легче, чем ублудить чемпиона по бодибилдингу.

И все же лучше бы я остался тогда с балериной, чем плелся сейчас по летному полю позади четырех длинных и тощих вешалок для платьев, которые вихляющей походкой приближались к нашему самолету. Храповицкий бодро вышагивал впереди в желтом замшевом пиджаке и сапогах на высоком каблуке. Он самодовольно оглядывался по сторонам, явно жалея, что зрителей маловато.

Мы заказали чартерный небольшой самолет, разделенный на два салона. Второй с тесными, неудобными креслами заполонила охрана. Храповицкий взял с собой пять человек, я — двоих: Николая и одного из ребят его смены.

Мы с Храповицким расположились в первом салоне, у окна, в креслах, разделенных большим столом. Красавицы устроились сбоку от нас, на диванчике в рядок.

Света, приглянувшаяся губернатору, оказалась эффектной блондинкой. У нее были светлые совсем неглупые глаза, что редкость для девушек нашего театра, капризный яркий рот и четко очерченный овал лица. Чуть вздернутый нос лишал ее внешность классической законченности, зато придавал миловидность, которую многие мужчины предпочитают красоте. В целом она была все же лучше, чем я ожидал.

Другая блондинка, Лена, неспешная и спокойная, сидела с таким отрешенно-невозмутимым видом, словно она не летела в другой город в компании малознакомых мужчин, навстречу неведомым приключениям, а ехала с мамой в магазин за мелкими покупками.

Третью девушку, смуглую и подвижную, звали Жанна, она была смешливой, бойкой, черноволосой, явно с татарской кровью.

Самая неприятная была, пожалуй, Юля, с крашеными медно-рыжими волосами, пустым взглядом и брезгливым выражением лица. Наверное, Храповицкий предназначал ее мне в наказание за плохое поведение. Всем им было от девятнадцати до двадцати лет, и лишь Жанна выглядела чуть постарше.

Кроме отрешенной Лены, которая была по-домашнему в джинсах и свитере и даже не очень накрашенная, остальные участницы поездки позаботились о том, чтобы короткие юбки и высокие каблуки подчеркивали невообразимую длину их голенастых птичьих ножек.

В России в смешанных компаниях, подобных нашей, уделять излишнее внимание женщинам считается неприличным. В конце концов вы же деловой, серьезный человек, а не какой-нибудь залетный бабник. Поэтому мы с Храповицким общались в основном между собой. А с девушками обменивались лишь дежурными фразами.

Такие однодневные поездки, с чартером, отелем и ресторанами, обычно обходились от двадцати пяти до тридцати пяти тысяч долларов. Разница зависела от марки и цены вина, которое заказывал в ресторанах Храповицкий. Две трети расходов он брал на себя — остальное причиталось с меня. Он полагал, что это по-божески. У меня на этот счет было свое мнение, поскольку десять тысяч долларов составляли треть моей зарплаты.

Счастливому своим неведением обывателю трудно представить, как много денег съедает все это утомительное представительство, от которого невозможно отказаться, вращаясь в определенном кругу. Если бы у меня время от времени не возникало случайных заработков, то, получая тридцать тысяч долларов в месяц, я вынужден был бы побираться на вокзале.

— Классные телки, правда? — заговорщицки шепнул мне Храповицкий, когда самолет начал разбегаться. — Я сам выбирал.

Его живые глаза блестели предвкушением.

— А нельзя их было сначала немного подкормить? — тоже шепотом спросил я.

— Ты в коровниках поищи, среди доярок! — обиделся Храповицкий. — Между прочим, все они — финалистки последнего конкурса.

Я не стал ему напоминать, что конкурс был оплачен им. И он возглавлял жюри. И, кстати, был торжественно провозглашен всеми участницами конкурса секс-символом губернии. Однако, судя по тому, что охрану он не увеличил, число незнакомых гражданок, жаждущих провести с ним ночь безумств, не возросло. И на улицах они на него не нападали. Так что к громким титулам можно было бы относиться и ироничнее.

— Чтобы было интереснее, — продолжал Храповицкий все тем же особым мужским шепотом, — я пригласил только порядочных. Дал им слово, что никаких наглых притязаний с твоей стороны не последует. Так что держи себя в руках. То есть если что-то произойдет, то только по обоюдному согласию. Я люблю, чтобы сохранялась интрига.

Обычно интрига сохранялась недолго и, как правило, заканчивалась обоюдным согласием. У Храповицкого, как хозяина вечеринки, было право выбора. А у меня было право отказаться. Что тоже немало.

Вообще-то я не разделяю убеждения, что любовь к худым женщинам с мальчишескими формами есть первый признак подавленной гомосексуальности. Это утверждение грешит излишней прямолинейностью. Для меня это всего лишь показатель того, что у мужчины есть проблемы, которые он предпочел бы скрыть. Когда я вижу уверенного, агрессивного в бизнесе человека рядом с тощей, как жердь, картинной стервозой, я понимаю, что, деликатно выражаясь, в нем больше слабостей, чем кажется на первый взгляд.

Самолет начал набирать высоту, и в салон вошла стюардесса, симпатичная, синеглазая пышка лет двадцати четырех. Я сразу почувствовал себя лучше.

— Что будете пить? — спросила она, заученно улыбаясь. — Есть водка, коньяк, белое и красное вино.

— А шампанское? — высоким требовательным голосом осведомилась медноогненная Юля. — Шампанское, я надеюсь, у вас есть?

— Ой, извините, — растерялась стюардесса. — Шампанского нет. Как-то не захватили.

— А я хочу шампанского! — Юля скосила глаза и повысила голос так, что у меня зазвенело в ушах.

Шампанское она почему-то произносила через «и». «Шимпанское».

Стюардесса испуганно посмотрела на Храповицкого, ожидая нагоняя.

— Ну почему у вас нет шимпанского! — канючила Юля.

— Потерпи немного, — принялся урезонивать ее я. — Всего через три часа мы уже будем сидеть в отличном ресторане, и ты сможешь заказать любое шампанское на выбор, вместо дешевой шипучки, которую дают в самолетах.

— А я хочу сейчас! — не унималась она.

Неужели я за свои десять тысяч долларов обязан еще и спать с этой крысой! — подумал я с ужасом. Да пропади они пропадом, эти деньги!

Храповицкий, похоже, тоже начинал злиться. Его вообще раздражало, если люди больше десяти минут подряд не выражали ему благодарность за то, что он украсил их жизнь своим присутствием.

Он отвернулся от девушек, своим видом давая им понять, что если они не перестанут капризничать, то остаток своей жизни будут пить бензин.

— Виктор так и не появлялся, — сказал он негромко, наклоняясь ко мне через стол. — Обиделся, что мы его не

70

взяли с собой. Последнее время он вообще стал очень нервным. С ним все труднее работать.

Тема не была для меня новой. Мы не раз обсуждали их сложные взаимоотношения, приводившие к частым недоразумениям в бизнесе. До серьезных конфликтов пока, слава богу, не доходило, но напряженность атмосферы возрастала. Случалось, они отдавали подчиненным взаимоисключающие приказы, что ставило последних в затруднительное положение.

Кроме того, Виктор частенько пытался вмешиваться в те стороны бизнеса, которые Храповицкий считал исключительно своей прерогативой. При этом ни один из них не желал уступать другому.

— Думаю, что когда он вступал в твой бизнес, то претендовал по меньшей мере на равенство, — пожал я плечами. — А сейчас, когда ты явно главнее, он полагает, что ты узурпировал власть.

— Мы никогда не были на равных! — возразил Храповицкий запальчиво. Ноздри его острого носа раздулись. Тема равенства его всегда раздражала. Демократия начиналась и заканчивалась за стенами его кабинета. — Когда я был директором завода, он был мясником. Он дал денег, и я взял его партнером в бизнес. Но о прибыли, которую он получил и продолжает получать, он не мог мечтать в самых дерзких снах.

— Дело тут не только в деньгах, — заметил я. — Мне кажется, тут сложнее. Понимаешь, как и все мы, он получил высшее образование, но потом, в отличие он нас, не желая бедствовать, порвал с тем образом жизни, который был для нас привычным, и пошел рубить мясо. Для своего круга он сразу стал отверженным. Да, у него были деньги, по тем временам немалые, но ты помнишь, как тогда относились к торгашам? Воры. Парии. А ведь он чувствительный человек, иногда, пожалуй, тонкий. И за эти десять—двенадцать лет в нем накопилось много болезненного, даже гнойного. Я совсем не удивлюсь, если узнаю про него что-то порочное.

— Что ты имеешь в виду? — подозрительно посмотрел на меня Храповицкий.

— Ну, например, что-то про его интимные тайны. Может быть, он как-то необычно ведет себя с женщинами. Или любит мучить животных. В этом роде. Хуже всего, что даже сейчас, став одним из хозяев губернии, он не добился главного — желанной социальной реабилитации. У всех на виду ты. Ты общаешься с губернатором. Ты ведешь переговоры. К тебе обращаются с просьбами. А он всего лишь твой партнер, вечно остающийся в тени.

Храповицкий нахмурился. Его лоб прорезала глубокая морщина.

— Он сейчас на грани срыва, — сказал он после паузы. — И это может очень скверно закончиться. Скверно для всех.

— Может, следовало взять его, а не меня? Это разрядило бы обстановку.

— Губернатор сказал, чтобы я взял тебя. К тому же от Виктора мало проку в таких поездках. Он либо молчит, либо, когда напьется, становится страшно злым. С тобой, по крайней мере, весело.

— Ну да, — покорно кивнул я. — То есть мне предстоит не только в страданиях полюбить эту писклявую Юлю, но еще и развлекать всю компанию. Захватывающая перспектива. А можно я добавлю еще пятерку и останусь здесь со стюардессой?

Храповицкий не поддержал шутки. Его лицо сделалось жестким.

— Хватит ныть, — холодно отрезал он. — Ты отлично понимаешь, что нам оказана честь. Много ли людей допущено в узкий круг губернатора? И если губернатор попросит нас станцевать нагишом на столе — мы станцуем.

Он говорил совершенно убежденно, и я не сомневался, что он бы и впрямь станцевал. Мне оставалось только надеяться, что губернатор нас об этом не попросит.

— Я хотел бы поговорить о выборах, — осторожно начал я, меняя тему.

Он молча кивнул. Я знал, что этот предмет не вызывает у него восторга, да и момент был не самым подходящим. Но и тянуть с этим разговором было нельзя. И я решился.

— Меня беспокоит то, как развиваются события, — заговорил я, подбирая слова. Понимая, что ему не понравится то, что я скажу, я не хотел раздражать его преждевременно. — Кулаков представляет собой опасность для губернатора. Если ему сейчас не переломают хребет, он наверняка будет участвовать в губернаторских выборах. И, учитывая его популярность, у него есть шансы.

Храповицкий скривился, но не стал спорить.

— Без нас губернатор с Кулаковым не справится, — продолжал я. — Поэтому он начинает с нами заигрывать. Но после того как он устранит своего главного соперника нашими руками, зачем ему будем нужны мы? Пилить бюджет он умеет и без нашей подсказки. И он становится единовластным правителем области. В его руках неограниченные финансы и власть. К тому же он командует милицией, прокуратурой и налоговой полицией. А вдруг в какой-то момент он решит, что мы слишком много зарабатываем и слишком мало делимся? И вопрос даже не в том, сколько мы станем ему таскать. Вопрос в том, что с помощью силовиков он может попытаться забрать наш бизнес. Мне кажется, что, став на одну сторону баррикад, мы без особой надобности увеличиваем свой деловой риск.

— А на кого он будет опираться? — возразил Храповицкий довольно резко. — На «Потенциал»? Усиливать лишь одну структуру всегда опасно: рано или поздно ты начинаешь от нее зависеть. Он слишком умен, чтобы складывать яйца в одну корзину. Ему нужен противовес. Этим противовесом и станем мы.

— Но ведь мы можем быть противовесом и сохранив Кулакова, разве нет? Более того, если мы с ним договоримся, мы превращаемся в миротворцев в войне губернатора с Кулаковым. А это значит, что мы сможем получать и там и здесь. И бояться губернатор нас будет больше.

— Ты всерьез веришь, что мы сможем договориться с Кулаковым?! — вспылил Храповицкий. — О чем? И почему у нас до сих пор ничего не получалось?! Это дешевый популист! Я не верю в его болтовню о благе народа. Ворует рубли там, где можно зарабатывать миллионы. И знаешь что? Ты не в первый раз заводишь со мной разговор об этом. Ты не любишь Черносбруева и не любишь губернатора. Я не знаю, чем именно тебе нравится Кулаков, но я хочу, чтобы ты понимал: ты — в команде. Я не желаю, чтобы твои эмоции повлияли на твою работу на выборах. Мне нужна победа Черносбруева. Я обещал губернатору, что мы этого добьемся. И я поручился ему за тебя. Мы поставили на губернатора, и мы будем с ним в одной упряжке. Это окончательное решение. Точка.

Он все-таки разозлился. И судя по выражению его лица, не на шутку.

— Ладно, — сказал я примирительно. — Значит, точка.

Начальником был он. Сначала начальником, а потом уж другом. Я об этом не забывал. Да он бы и не позволил.

3

В Москве у нас, или, точнее, у Храповицкого, было представительство с директором, который занимался не столько бизнесом, сколько устройством нашего отдыха в столице и за границей. Прямо у трапа нас встретили два «Мерседеса» и микроавтобус. Мы с Храповицким сели в один «Мерседес», в другой забрались дамы, а охрана разместилась в автобусе.

В «Национале» у нас были забронированы четыре номера на одном этаже: три просторных люкса, или, как тогда уже начинали говорить на европейский лад, «свита», для Храповицкого, меня и губернатора со Светой. И один попроще, на случай, если кто-то из девушек останется бесхозной.

Охрана обычно селилась в тех же отелях, что и мы, но не на ВИП-этажах, по двое в номере.

На сборы дамам дали полчаса. И еще минут на сорок они, естественно, задержались. Когда они спустились в бар, где ждали их мы с Храповицким, то все четыре были одеты практически одинаково: черные платья, черные колготки, черные туфли. Храповицкий оглядел их с удовлетворением. Видимо, их внешность и униформа отвечали его представлениям о том, как должен выглядеть эскорт делового человека.

— Ну что, зондер-команда, поехали! — произнес он, поднимаясь.

Но тут вышла заминка. Света попросила нас отойти с ней на минутку в сторону. Вид у нее был одновременно испуганный и вызывающий.

— Вы знаете, ребята, я не готова! — вдруг объявила она дрожащими губами, избегая смотреть на нас. — Как-то все слишком быстро происходит. Я же его совсем не знаю. Я думала, все будет помедленней, постепенно. А тут только я этот номер увидела, как-то все сразу стало ясно... Ну, в общем, я не знаю... Может, я лучше не поеду?

— То есть как не поедешь? — Кустистые брови Храповицкого угрожающе взлетели вверх.

— Ну, останусь в номере, — неуверенно предложила она. — Скажите, что я заболела. Что-нибудь в этом роде. Говорю тебе, я боюсь! — сорвалась она. — Неужели не понятно?

— Ты вообще соображаешь, о чем ты говоришь! — прошипел Храповицкий. Он старался сдерживаться, но по особой четкости выговора я понимал, что он в бешенстве. — Ты помнишь, кто тебя пригласил?! Что ты строишь из себя? Раньше ты о чем думала?

— Не кричи на меня! — Она повысила голос и вскинула подбородок. Ее светлые глаза потемнели, а капризный рот сжался в решительную линию. — Я тебе не проститутка. Я не обязана спать с тем, в кого ты ткнешь пальцем. Будь он хоть губернатор, хоть президент, ясно?

Храповицкий не привык, чтобы так с ним разговаривали. В глазах его заплясали опасные огоньки. Пора было вмешиваться.

— Стоп, — сказал я, обращаясь к ней. — А кто, собственно, сказал, что ты обязана с ним спать? Это что-то новое.

— А что еще мне с ним делать? — раздраженно отозвалась она. — Телевизор смотреть? Не надо считать меня дурочкой!

— Вот что меня пугает в современных женщинах, — вздохнул я, поворачиваясь к Храповицкому. — Сразу тащат в постель. Хоть бы здоровались сначала.

— Это я тащу в постель?! — задохнулась она от возмущения. — Ты что, издеваешься?

— Значит, я чего-то не понял, — кротко ответил я. — Извини, не хотел обидеть. С моей точки зрения, ситуация выглядит так. Серьезный, уважаемый человек пригласил тебя в ресторан. Не желая твоей смерти от отравления, он не стал этого делать в нашем городе. Чтобы тебе было удобно, он заказал для тебя приличный номер в приличной гостинице. Он не знал, что ты питаешься в Макдоналдсе и ночуешь на вокзале.

— Я никогда не ночевала на вокзале! — почти выкрикнула она. Теперь она вся пылала от обиды. — И не ем в Макдоналдсе. У меня, между прочим, диета.

Я предпочел пропустить эти объяснения мимо ушей.

— Любой воспитанный человек спокойно принял бы это приглашение, — продолжал я. — А может быть, даже и поблагодарил. Поскольку воспитанного человека, заметь, я говорю воспитанного, а не такого, который публично кричит на нас не понятно за что, подобное приглашение ни к чему не обязывает. Неужели ты считаешь, что единственной целью жизни губернатора является с тобой переспать? Что, у него нет других планов?

— А какие у него планы? — спросила она неуверенно. Ее миловидное лицо в эту минуту стало детским.

— Можно я не буду рассказывать тебе о планах губернатора, — ответил я с важностью. — Но, уверяю, ты напрасно думаешь, что он рыскает по столице нашей родины, обуреваемый острым сексуальным голодом, и задирает юбки первым встречным женщинам.

— Я не первая встречная, — ответила она обиженно.

— Мы так и думали, — с готовностью отозвался я. — Просто произошло недоразумение.

Короче, в ресторан мы прибыли хотя и с опозданием, но зато в полном составе.

— Ну ты и змей! — восхищенно прошептал мне Храповицкий в машине. — Выходит, правильно я тебе своих женщин не доверяю.

— Выходит, правильно, — согласился я.

4

Губернатор Егор Лисецкий уже ждал нас за столиком. В синем костюме с ярким галстуком, гладко выбритый, благоухающий одеколоном, он выглядел моложавым, бодрым и искрился нетерпением. Если он и был раздражен нашей задержкой, то не стал этого показывать.

— Я уже начал волноваться, — весело приветствовал он нас. — Думал, отложили рейс.

— Что закажете на аперитив? — наклоняясь, спросил подскочивший официант.

— Может, мартини? — Света по-детски неуверенно посмотрела на губернатора.

— Фу, мартини! — скривил он свое холеное красивое лицо. — Это вульгарно. У вас есть мадера? Принесите лучшей мадеры.

— А вы можете заказать шампанского, — предложил я Юле и Жанне.

— Мы лучше тоже мадеры, — ответили они почти хором, видимо, опасаясь, что я их обману и все настоящее достанется другим. — А потом шампанского.

— А я вообще не пью, — смущенно сказала Храповицкому потусторонняя Лена и поправила юбку. — Что же мне делать?

Тронутый ее доверием к себе, Храповицкий глянул орлом.

— Иногда даже я пью, — снисходительно заметил он.

— Очень редко, — вставил я, вспоминая, как вытаскивал его последний раз из этого ресторана. Он бросил на меня зверский взгляд и вновь повернулся к Лене.

— Только дай слово, что, когда напьешься, не будешь ко мне приставать.

— Не дам, — вдруг ответила она с дерзостью загулявшей отличницы. От неожиданности Храповицкий на секунду растерялся, но тут же пришел в себя и расправил плечи.

Светлое будущее любителя долгих и сложных интриг больше не вызывало моего беспокойства, и я переключил свое внимание на губернатора. Он помогал Светлане разобраться с меню.

— Фуа-гра — это утиная печень, — объяснял он покровительственно, зачем-то причмокивая губами. — Ее лучше есть с ежевичным соусом. Я всегда так делаю в Париже. Кстати, ты была в Париже?

— Нет, — ответила она. В ее ясных светлых глазах читалось, что дальше Нижнеуральска она не ездила. — Я и в Москве-то второй раз в жизни.

— Ну, еще съездим, — проронил он небрежно, как бы походя. — В России приходится есть фуа-гру с малиновым соусом.

— Надеюсь, вы не очень страдаете? — не удержался я.

Он покосился на меня, удивленный моей наглостью, но не нашелся что ответить.

— У нас действительно мало хороших ресторанов, — вмешался Храповицкий, пнув меня под столом так, что я чуть не подпрыгнул. — Повара-то все остались с советских времен.

Прибытие столь мощного подкрепления губернатора сразу успокоило.

— В России, к сожалению, слишком много сохранилось с советских времен, — бросил он и опять вернулся к меню. — А на горячее мы выберем... — Он запнулся, то ли раздумывая, то ли не зная, как читаются блюда.

— Может быть, я смогу помочь? — ласково прожурчал подошедший метрдотель.

В этом ресторане, в то время одном из самых модных в Москве, нас с Храповицким хорошо знали. Мы бывали здесь раза два в месяц, обычно в больших компаниях, и когда оставляли за вечер меньше десяти тысяч долларов, то администраторы считали, что день они прожили зря, а шеф-повар Мишель, выписанный из Парижа, безутешно рыдал на кухне. Вдоль стены здесь стояли аквариумы с разной диковинной живностью: от хищных рыбок до карликовых крокодилов и змей.

Рептилий можно было кормить живыми белыми мышами, которых с готовностью притаскивал администратор и выдавал специальные щипцы, чтобы не трогать мышей руками. Удовольствие стоило 100 долларов за каждую мышь, и, расплачиваясь, я иногда подумывал, не пора ли мне выйти в отставку и заняться разведением грызунов для московского общепита.

Как я и ожидал, Юля и Жанна выбрали из меню самые дорогие блюда, причем в таком количестве, что вполне можно было приглашать сюда и нашу охрану. Свету опекал губернатор, а Лена неосторожно вверила свою судьбу Храповицкому.

Губернатор между тем продолжал светскую беседу.

— Одежду каких фирм ты предпочитаешь? — спрашивал он Свету, оглядывая ее с ног до головы, не без плотоядности.

Все наши дамы явно предпочитали те фирмы, которыми торговали на барахолках.

— Разных, — ответила Света осторожно. — У меня нет такого, чтобы я одевалась во что-то одно.

— Это зря, — заявил он безапелляционно. — Я, например, одеваюсь только от «Хьюго Босс». Политик в наше время должен помнить о том, как он выглядит.

Мы с Храповицким молча переглянулись. «Босс» таскала наша охрана. Мы оба выбирали что-нибудь покрепче. Он опять пнул меня под столом, должно быть, на всякий случай. Правда, уже полегче.

— «Босс» — отличная фирма, — поддакнул Храповицкий. Казалось, он ловил каждое слово губернатора. Даже свойственная ему ирония исчезла из его глаз.

— Дело ведь не только в одежде, — принялся объяснять Лисецкий. — Надо вообще следить за собой. Вот, например, маникюр. Решетов, ты делаешь маникюр? — обратился он ко мне.

Я делал маникюр лет этак с четырнадцати. Но это был не тот ответ, которого он ждал, учитывая, что еще пару месяцев назад он грыз ногти на совещаниях. Я взглянул на Храповицкого, убедился, что наградой за правду будет новый пинок, и тяжело вздохнул.

— Нет, — сказал я, пряча руки под стол.

— Напрасно. Ты же вращаешься в высшем кругу. У тебя должны быть ухоженные руки. — Он полюбовался своими руками и предоставил такую же возможность нам. — Вот за что я не люблю Кулакова, так это за то, что он всегда выглядит как колхозник.

— Он и есть колхозник, — опять внес свою лепту в беседу отзывчивый Храповицкий.

Я подумал, что еще час столь непринужденного общения, и Храповицкий перейдет на военное «так точно!».

— И ничего не понимает в экономике, — добавил губернатор. — И ведь лезет со своим свиным рылом в калашный ряд.

— Ничего. После победы Черносбруева у Кулакова будет много свободного времени, — зловеще улыбнулся

Храповицкий. — Сможет учиться хорошим манерам. Включая бальные танцы.

Губернатор развеселился.

— Решетов, а ведь тебе нравится Кулаков, правда? — вдруг спросил он, остро посмотрев на меня своими синими глазами.

Он был отнюдь не лишен проницательности. Я насторожился.

— Он не вызывает у меня ненависти, — ответил я дипломатично.

В лице Храповицкого мелькнуло раздражение. Что было замечено губернатором.

— Да, — протянул он, подогревая Храповицкого. — Разбаловал ты подчиненных. Конечно, демократия подразумевает наличие у них своего мнения. Но только не в такое время, как сейчас. Кулаков объявил нам войну. Решетов, как ты этого не понимаешь? И мы должны быть беспощадными. Ты умеешь быть беспощадным, Решетов?

Меня всегда бесила эта комсомольская привычка обращаться к людям по фамилии. Но я понимал, что он меня дразнит, и не собирался доставлять ему удовольствие.

— Моя кротость давно вошла в поговорку у моих друзей, — ответил я.

— Ты на охоте бывал? — не отставал он. — Володя, ты возил его с собой на охоту?

— Возил, — ответил Храповицкий. — Но его еще учить надо. Нет в нем настоящего азарта.

— Без азарта в политике нечего делать, — поучительно заметил губернатор. — Да и в бизнесе тоже. Нужно уметь проявлять жесткость. Ты убивал кого-нибудь на охоте?

Я отметил, что он нарочно употребил слово «убивал», редко произносимое охотниками. Обычно они предпочитают говорить «брал» или «взял».

— Случалось, — ответил я. — Так, мелочь всякую.

— Уток, что ли? — снисходительно усмехнулся губернатор.

— Да нет, он и оленей убивал, и косуль, — заступился за меня Храповицкий.

— А горло подранку перерезал? Ножом, как положено?

Чувствовалось, ему нравится обсуждать все эти подробности при девочках, которые слушали наш разговор завороженно и немного испуганно. Если бы рядом не было Храповицкого, я бы, конечно, сказал ему, что охочусь в основном на аквариумных рыбок. Но голова у меня все-таки была одна, и порой она мне пригождалась.

— Перерезал, — ответил я. — И свежевал.

— Раз перерезал, значит, ты не пропащий человек, — похлопал меня по плечу губернатор. — Да ты не обижайся. Я вообще-то очень уважаю твой талант. Считаю, что Володе с тобой повезло. Надеюсь, он это понимает.

Стравливать людей было для него как дышать. Наверное, порой он делал это механически, без определенной цели. Так, на всякий случай.

5

Ресторан располагался в центре Москвы, в двухэтажном здании. Одну половину занимал собственно ресторан, а в другой был ночной клуб со стриптизом, куда мы обычно перебирались ближе к двенадцати. В клуб нужно было идти по длинной галерее, в середине которой размещалась огромная застекленная витрина. В ней висели различные предметы гардероба, принадлежавшие, как явствовало из надписей, знаменитостям. Тут была и рубашка Шварценеггера, и шейный платок Майкла Джексона, и фрак, в котором Аль Пачино будто бы играл роль крестного отца.

Почему-то именно эта витрина и кормление змей мышами производили наибольшее впечатление на девушек, которых мы привозили. Этот раз не был исключением. Наши дамы несколько минут стояли у витрины, восторженно ахая.

В ночном клубе стараниями администратора для нас уже была зарезервирована пара удобных столиков. Перед отъездом я нарочно разменял тысячи полторы долларов пятерками и десятками, чтобы раздавать стриптизершам.

Обычно, после того как несколько первых танцовщиц возвращались от нашего столика с купюрами в белье, народная тропа к нам не зарастала. Храповицкий считал это важной частью соблазнения наших спутниц. По его мнению, постоянная близость полуголых раскрашенных профессионалок пробуждала в наших девушках дух соперничества.

Я полагал, что можно было с тем же успехом раздать деньги нашим спутницам. Без всяких затей. А если сделать это дома, не выезжая в Москву, то можно было еще и сэкономить. Соблазнять же их, по моему убеждению, было и вовсе не обязательно.

В полумраке, под канонаду зажигательных ритмов, мы расселись.

— Тебе нравится здесь? — спросил губернатор, наклоняясь к Свете.

— Конечно, — ответила она искренне, глядя ему в глаза. — Я никогда в таких местах не бывала.

Видя, что процесс развивается в нужном направлении, губернатор размяк. Теперь он все больше жеманничал и говорил нараспев. Он развалился на диване, снял пиджак и совсем ослабил узел галстука.

Лена ни на шаг не отходила от Храповицкого. Сейчас она безмятежно сидела рядом с ним и чувствовала себя в полной безопасности, держа его за руку, как маленькие дети сжимают на улице руку родителей. Храповицкий время от времени гордо подмигивал мне.

Юля и Жанна, похоже, смирились с тем, что им придется довольствоваться самым бесперспективным членом компании. В ресторане они порой бросали на меня тревожные взгляды, вероятно, беспокоясь, хватит ли моего благополучия на удовлетворение их финансовых запросов. Но, увидев пачку мелких купюр, которую я выложил на стол, вздохнули с облегчением. В их глазах я все-таки состоялся.

Минут сорок все шло довольно мирно, и я уже начинал неприметно зевать. Но тут дебелая световолосая стриптизерша, соскользнув с шеста, на котором она лихо исполняла акробатические этюды, направилась к нам.

Безошибочным чутьем определив, кто именно является главным в нашей компании, она приблизилась к губернатору и уселась к нему на колени, лицом к лицу. Потом принялась совершать волнообразные движения, задевая его грудью. Он поморщился и отстранился.

Видя его реакцию, я поспешно засунул ей десятку в белье.

— Пойдем ко мне, любимая, — позвал я. — Я тут один холостой.

Она благодарно провела рукой по моим волосам, но от губернатора не отстала. Продолжая извиваться, она развязала ему галстук, вытащила его из-под воротника губернаторской рубашки и накинула на себя, как ленту.

— Отдай галстук! — сердито крикнул Лисецкий, но в грохоте музыки она не расслышала и, повернувшись, проследовала на сцену.

— Тварь! — вскипел губернатор. — Утащила мой галстук! Воровка!

Его красивое лицо исказилось. Глаза сделались злыми.

— Вы не волнуйтесь, она обязательно вернет, — принялся уговаривать я. — Дура. Что с нее взять. Хотела пошутить. Стоит ли так волноваться из-за подобной ерунды. Она вернет, вот увидите.

Но он был вне себя.

— Как она смеет вообще приставать ко мне! — визгливо выкрикивал он, брызжа слюной. — Кто она такая?!

Между тем музыка закончилась, и танцовщица уплыла за кулисы, собрав с пола немногочисленные предметы своего скудного гардероба и, видимо по ошибке, прихватив губернаторский галстук.

— Егор Яковлевич, да не обращайте вы на это внимания, — пришел мне на помощь Храповицкий. — На Западе люди вообще относятся к таким номерам с юмором. Помнится, мы с Андреем в Амстердаме...

— Меня не интересует, чем вы там занимались! — оборвал он в ярости. — Пусть срочно вызовут владельцев этого кабака!

На нас уже обращали внимание другие посетители. Становилось неприлично. С одной стороны к нам летел перепуганный официант, с другой — администратор клуба, вышколенная девушка лет двадцати пяти, в черном костюме.

— Что-то случилось? — обеспокоенно спросила она.

— Ваша проститутка утащила мой галстук! — прорычал ей в лицо губернатор.

— Прошу прощения, но она — не проститутка. И даю вам слово, она не хотела вас обидеть. — Администраторша пыталась сохранять на лице улыбку. — Это был просто танцевальный номер. Видимо, вы ей понравились, и она попыталась привлечь ваше внимание! Подождите секунду, я все исправлю.

Она быстрыми шагами удалилась за кулисы и появилась через минуту с губернаторским галстуком в руках.

— Вот видите, все в порядке, — сказала она с облегчением.

Но не тут-то было.

— Он весь перемазан какой-то гадостью! — заявил губернатор, с отвращением разглядывая свою собственность. — Немедленно вызовите владельцев клуба. Между прочим, этот галстук от «Гуччи». Вы знаете, сколько он стоит?

— Я приношу вам свои извинения. — Она стояла перед ним как виноватая школьница. — Клуб готов немедленно компенсировать вам его стоимость.

Но ее услужливость лишь больше его распаляла.

— Я не желаю здесь больше оставаться! — заявил он, вскакивая. — Пойдемте отсюда! Немедленно.

Храповицкий тоже поднялся, незаметно пожав плечами и сделав мне знак, чтобы я рассчитался. Все вместе мы вышли в холл. Бедная администраторша семенила следом, чуть не плача. Наши дамы, напуганные вспышкой губернаторского гнева, пришибленно молчали.

— Может быть, я все-таки могу исправить это досадное недоразумение? — умоляюще произнесла администраторша, делая последнюю попытку.

Губернатор неожиданно остановился и обернулся к ней.

— Пожалуй, можете, — вдруг объявил он, как-то скверно улыбаясь. — Знаете что? Повесьте этот галстук вон в той витрине. Рядом с фраком Аль Пачино.

— Но я не могу этого сделать! — воскликнула она в отчаянии.

— Почему? — высокомерно осведомился Лисецкий.

— Но... — Она запнулась, не желая его еще более обидеть. — Это запрещено.

— А вы разрешите, — предложил он так же.

— Но вы же не Аль Пачино!.. — выпалила она.

Его лицо дернулось.

— Вот как?! — побледнев от гнева, произнес он. — Тогда запомни свои слова. Запомни хорошенько. Когда тебя выкинут отсюда, ты будешь знать за что!

Он резко повернулся и начал спускаться по лестнице. Остальные потянулись следом. Я остался успокаивать администраторшу, которая готова была разрыдаться, несмотря на все свое служебное самообладание. Когда они уже были в дверях, до меня донеслись его слова, сказанные не то Храповицкому, не то Светлане:

— Ну как? Ловко я отбрил эту крысу?!

— Замечательно, — отозвался Храповицкий.

И тут администраторша все-таки разревелась.

6

Когда я вернулся в отель, холл был пустым, если не считать нескольких занятых тоскливым ожиданием гостиничных проституток. Никого из наших не наблюдалось. Я прошел в свой номер, разделся и уже собирался ложиться, когда в дверь ко мне постучали. Я накинул халат и открыл, не спрашивая. На пороге стояла чернявая Жанна.

— Извини за беспокойство, — затараторила она. — Но у нас в номере не хватает подушек. Знаешь, я привыкла спать высоко. Ты не возражаешь, если я пройду. — Это прозвучало скорее утверждением, чем вопросом. — А у тебя есть что-нибудь выпить?

Я посторонился, пропуская ее в номер.

— Ух ты! — восхищенно воскликнула она, оглядываясь. — Какой огромный! А мы с Юлькой, бедненькие, на одной кровати ютимся.

Я смотрел на нее, размышляя. По-своему она была, пожалуй, даже хорошенькая. В своей постели с утра я обнаруживал и пострашнее. Наверное, можно было не раздевать ее до конца, чтобы ее худоба не так бросалась в глаза.

А если совершить над собой небольшое усилие и представить, что я ей просто очень понравился, то можно было даже получить некоторое удовольствие. Наверное. Вопрос в том, стоило ли совершать усилия.

— Ну что ты молчишь? — кокетливо спросила она. — Поговори со мной. Расскажи что-нибудь.

— Жила на свете Красная Шапочка, — начал я мрачно. — С семью Гномами сразу. И когда она забеременела, то встал естественный вопрос об усыновлении ребенка...

Закончить эту драматическую историю я не успел. Был не прав. Признаю. Переутомился. Между прочим, под утро сдаются даже девственницы.

Кстати, если вам любопытно, то усилий совершать не стоило.

7

Меня разбудил телефон.

— Спишь, растлитель? — ехидно осведомился Храповицкий.

— Уже нет, — ответил растлитель без энтузиазма. — Весь в мыслях о работе.

— С двумя? — Храповицкий понизил голос.

— Один, — машинально соврал я, покосившись на разбуженную и недовольную Жанну.

— Так я тебе и поверил. Слушай. Только что звонил Егорка (так Храповицкий за глаза иногда именовал губернатора). Велел через полчаса собраться на завтрак в ресторане. Только без твоих двух прошмандовок.

Понятно, что Храповицкий и губернатор делили ложе исключительно с порядочными, интеллигентными девушками. Которые перед сном напевали им «Маленькую ночную серенаду». На немецком. Без этого у них минет не шел.

А все прошмандовки были уже по моей части. Интересно, если бы Жанна изнасиловала не меня, а Храповицкого, означало бы это наличие у нее высоких моральных принципов?

Когда растлитель покидал номер, лишенная принципов Жанна опять заснула.

В ресторан я пришел первым. Через несколько минут появился Храповицкий с Леной и, наконец, губернатор со Светой. Костюм губернатора выглядел помятым. Злосчастный галстук он не надел. Храповицкий сменил желтый замшевый пиджак на коричневый кожаный и повязал шейный платок.

Хотя внешность мужчин и несла отпечаток ночного бдения: щетина и воспаленные глаза, — они так и лучились самодовольством. Губернатор даже что-то мурлыкал про себя.

Девушки были довольно свежи и одеты по-вчерашнему. Забавно, что из них двоих более смущенной выглядела Света. Лена сохраняла безмятежное спокойствие.

— Ну как самочувствие? — интимно осведомился Храповицкий у губернатора, когда мы, разделившись с дамами, отошли к буфету выбирать себе блюда.

Губернатор потянулся, как сытый кот.

— Ах, зачем эта ночь так была хороша! — пропел он. Музыкального слуха у него не было.

— Я что-то тоже погорячился, — признался Храповицкий доверительно. — На минуту глаз не сомкнул. А ты-то что молчишь? — обратился он ко мне.

— Да рассказать нечего, — отозвался я лениво. — Как всегда, спал сном праведника.

— Хватит врать-то! — возмутился Храповицкий. — Хоть бы раз в жизни правду сказал. Для смеха.

— Ты же все равно не поверишь, — ответил я.

— Конечно, нет! — фыркнул он. — Я же не идиот.

Мы все вернулись за стол, и уже через несколько минут губернатор наставлял Свету.

— Не ешь бананы руками, — твердил он, при этом почему-то глядя на нас с Храповицким. Возможно, ожидая, что мы тоже запомним. — Разрезай кожуру ножом, а банан придерживай вилкой. Даже виноград надо есть с ножом и вилкой.

— Да ладно тебе придираться, — беспечно отмахнулась Света. — Никто же не видит.

— Я вижу, — возразил Лисецкий. — Я пытаюсь сделать из тебя стильную женщину, а ты упираешься.

Он находился в прекрасном расположении духа.

— Слушайте, мне пришла в голову неплохая идея! — объявил он. Он откинулся в кресле, мечтательно закатил глаза и похлопывал себя по животу. — А почему бы нам не задержаться еще на денек? Давайте сходим куда-нибудь. Например, в Большой театр. Ты была в Большом театре? — Он повернулся к Свете.

Я хотел было возразить, что нас ждет самолет, но Храповицкий оборвал меня взглядом.

— Отличная мысль! — провозгласил он с готовностью. — Лена, ты как?

— Ну, можно, — неуверенно произнесла Лена. — Только мне нужно будет позвонить маме. Я же только на один день отпрашивалась.

Храповицкий снисходительно погладил ее по голове:

— Хорошая девочка. Послушная.

— Значит, остаемся! — заключил губернатор торжественно.

— Я не могу, — вдруг заявила Света. Я заметил, что, услышав предложение губернатора, она сразу нахмурилась.

— То есть как не можешь? — не понял губернатор.

— Ну, ты же знаешь, — замялась она. — Я же, в общем-то, не одна... живу. Я говорила тебе. У меня есть человек. — Она явно чувствовала себя не в своей тарелке и предпочла бы избежать этого объяснения. Тем более при нас с Храповицким. — У нас с ним и так был жуткий скандал из-за моей поездки. Я сказала, что мы летим на генеральную репетицию перед конкурсом. А если я еще на день задержусь, он меня вообще убьет.

— Кто убьет? — вскинулся губернатор. — Этот бандит?

Судя по его осведомленности, он успел навести о ней справки.

— Да достаточно одного моего слова, чтобы его упрятали лет на пять!

— Слушай, перестань, а? — начала она упрашивать. — Ну что ты сердишься. У нас с ним все-таки отношения... Он заботится обо мне. И так-то не очень хорошо получается...

— Какие у тебя могут быть отношения с бандитом! — Губернатор не терпел возражений и уже вновь начинал злиться. — Ты теперь со мной! Со мной! Надеюсь, не надо объяснять, кто я такой?

— Не кричи на меня, — отрезала она. У нее тоже был характер, и она не собиралась его прятать.

Видя оборот, который принимал их разговор, Храповицкий что-то быстро прошептал на ухо Лене. Она тут же поднялась из-за стола и вышла.

— Ты понимаешь, что губернатору не отказывают! — продолжал наседать Лисецкий.

Света повернулась к нему. Ее глаза потемнели.

— Я отказываю кому хочу, — отчеканила она. — И живу с кем хочу. Ясно?

Он переменился в лице.

— Нет, не ясно, — протянул он звенящим от гнева голосом. Было видно, что он лихорадочно ищет, как ужалить ее побольнее. — Не ясно. Ведь тебе заплатили!

Она вскинулась, как от пощечины.

— Во-первых, мне никто не платил, запомни. — Она смотрела на него почти с ненавистью. — Я вообще поехала сюда не за деньги. — Ее голос сорвался. — Мне было интересно познакомиться с тобой поближе. Хотя ничего хорошего я о тебе не узнала. Во-вторых, не смей обзывать меня шлюхой, у тебя для этого есть жена. И, в-третьих, не лезь в мою жизнь. Понял?

Бледная и злая, она отвернулась и уставилась перед собой, кусая губы.

— Ты, тварь! — взвизгнул он, и я испугался, что он ее ударит. — Ты знаешь, что я могу с тобой сделать?! Ты отдаешь себе отчет?..

— Хватит, — резко прервала она его. — Я не желаю тебя слушать! Пошел ты!..

И встав из-за стола, так, что опрокинулось кресло, она решительно прошагала к выходу.

Некоторое время он оставался неподвижным, приходя в себя и не в силах произнести ни слова. Все его лицо плясало, причем каждая черта в своем особом ритме. Он лихорадочно комкал салфетку.

— Кислотой ей в морду! — наконец взорвался он. — Чтоб знала! Чтоб всю жизнь помнила! Сделаешь? — вдруг повернулся он к Храповицкому, уставясь на него бешеными глазами.

— Сделаешь или мне кого-то другого просить?! — потребовал он еще раз.

— Ну... сделаем... если прикажете, — промямлил оторопевший Храповицкий.

— Приказываю! — крикнул губернатор.

Он швырнул на стол салфетку и перевел дыхание. Потом взял себя в руки.

— Ладно, — заговорил он уже спокойнее. — Не надо кислоты. Обойдемся. Мы все-таки не звери. Просто вышвырни ее из города. Чтобы духу этой твари в моей области не было! Это моя личная просьба. Даю тебе неделю. Заранее благодарен. А с этим ее подонком я сам разберусь.

Он начал подниматься.

— Чего вытаращился! — крикнул он официанту, который не сводил с нас округлившихся от ужаса глаз. — Иди отсюда!

И он тронулся к выходу. Храповицкий вскочил и поспешил его проводить.

Я дождался, пока они уйдут, и поднялся на наш этаж. Как я и ожидал, я нашел всех троих, кроме Лены, в девичьем номере. Света бурно рыдала, размазывая по щекам тушь. Трясущиеся Юля и Жанна тщетно пытались ее успокоить.

— Козел старый, — всхлипывала она. — В постели ничего не может, вот и издевается над людьми!

Я отогнал от нее девчонок и сел рядом.

— Перестань, — заговорил я твердо, полагая, что такой тон лучше на нее подействует. — Возьми себя в руки. Ты и так уже сказала достаточно. Вот деньги. — Я сунул ей в сумочку пачку стодолларовых купюр. — Возьми такси и езжай в аэропорт. Возвращайся домой и постарайся хоть на время куда-нибудь исчезнуть вместе со своим другом.

— Не буду я прятаться! — выкрикнула она. — Нечего меня пугать! Он получил свое — пусть спасибо скажет.

— Мне почему-то кажется, что он не скажет тебе спасибо, — заметил я. — Послушай меня...

— Я тебя уже однажды послушала, — огрызнулась она. — Лучше бы я этого не делала!

Что я мог ответить?

Назад мы возвращались впятером: Храповицкий, Лена, Юля, Жанна и я. Не считая, конечно, охраны. Из туманных намеков Жанны я сделал вывод, что Света все-таки вняла моему совету.

Всю дорогу в аэропорт и в самолете Храповицкий молчал и хмурился.

— Хорошо, — наконец проговорил он, когда самолет пошел на посадку. — Пообщайся с Кулаковым. Посмотрим, что получится.

ГЛАВА ПЯТАЯ

1

Когда в четверг я появился на работе, Храповицкого еще не было, и раньше двенадцати его можно было не ждать. В его обязанности верного супруга четырех добродетельных жен входил ежедневный объезд подведомственных ему объектов. Наши московские и заграничные отлучки безнадежно выбивали его из графика. После них ему приходилось тратить утренние часы на посещение своих бесценных половин и клятвы в том, что достаточно посмотреть в его, Храповицкого, честные глаза, чтобы понять, что однолюб вроде него скорее умрет, чем обратит внимание на другую женщину.

Между прочим, беспримерная наглость однолюба поражала даже меня. Его жена, прилетевшая как-то из Лондона с детьми на новогодние праздники, жаловалась мне, что первый же день ее пребывания на родине он ознаменовал прибытием домой в пять утра, пьяным и со следами страстных поцелуев на шее. При этом он уверял, что до утра решал семейные проблемы Васи, который в благодарность его лобызал. А всем известно, что Вася по советской привычке целуется исключительно взасос.

Утро началось с того, что на пороге моего кабинета возникла моя секретарша Оксана и своим строгим голосом сообщила:

— Только что звонили из приемной Крапивина. Он просил вас немедленно зайти к нему.

Это было что-то новое. Обычно Виктор сам забегал ко мне в кабинет либо звонил мне по мобильному телефону. Впрочем, и то и другое случалось нечасто: мы с ним умели стойко переносить разлуку. Так или иначе, но до сегодняшнего дня он всегда соблюдал политкорректность и никогда не вызывал меня через секретаря.

Наверное, напоминание мне о субординации было его реакцией на нашу с Храповицким поездку в Москву.

— Кто-нибудь еще звонил? — спросил я Оксану.

— Сегодня еще не успели. Список вчерашних звонков у вас на столе.

Оксану я обожал. И внешностью, и манерами, и одеждой она напоминала степенную и аккуратную школьную учительницу, служа вечным укором моей дезорганизованности. У нее были правильные русские черты лица, безукоризненно уложенные русые волосы и, несмотря на то, что ей уже исполнилось тридцать, такая свежая, пахнувшая яблоком, прохладная кожа, что, входя, я всегда целовал ее в щеку. Это поднимало мне настроение.

— Позвони, пожалуйста, в приемную Кулакова и скажи его секретарю, что я прошу о встрече. По личному вопросу.

Конечно, я мог позвонить Кулакову сам, я знал номер его мобильного телефона. Когда-то, в бытность мою правдивым редактором, у нас были неплохие отношения. Но сейчас мы воевали в разных армиях, и, учитывая все то, что рассказывали о нем в «Кулацкой правде», я опасался, что желания пообщаться со мной накоротке он может и не испытывать.

Кабинет Виктора был поменьше, чем у Храповицкого, с дорогой кожаной мебелью и без всякого авангарда. В отличие от Васи, который порой копировал Храповицкого, особенно в его отсутствие, Виктор постоянно демонстрировал свою самостийность. Он никогда не ездил на охоту, носил только джинсы или спортивные брюки, и если Храповицкий покупал себе элегантный «Мерседес», Виктор тут же заказывал грубоватый «Хаммер». Жен, впрочем, у него было еще больше, чем у Храповицкого, при этом все они отличались пышными формами. Их число достигало не то пяти, не то шести, я порой сбивался со счета. Но может статься, это тоже было порождением их соперничества.

У Виктора сидел Вася. На полированном столе стояла бутылка коньяка. Они выпивали, или, как витиевато выражался Вася, «ударяли по орденам». Судя по их несколько подержанному виду, занимались они этим уже дня два.

— Проходи, садись, — приветствовал меня Виктор, заключая в объятия. Он проводил меня до кресла и усадил.

Ни его показное дружелюбие, ни помутневшие глаза не сулили ничего хорошего. Если встреча со скрытым врагом начинается с объятий, то, скорее всего, она закончится мордобоем.

— Сто лет тебя не видел. Ты куда пропал-то?

Мы не виделись с ним ровно два дня. И он отлично знал, куда именно я пропал. Право, я не догадывался, что он так по мне скучает, иначе послал бы ему телеграмму.

— Может, выпьешь чего-нибудь? — предложил Виктор. — Ох, извини, извини, ты же у нас не пьешь. Совсем забыл.

— Я, кстати, тоже бросаю, — заметил Вася, наливая себе еще.

— Это правильно, — заключил Виктор. — Пора и мне за ум взяться. А то живу дурак дураком. Верно, Андрей?

Я поборол соблазн согласиться. К тому же это было бы неправдой. Кем-кем, а дураком Виктор не был.

По его внешнему виду никогда нельзя было определить, сколько он выпил. Даже литр коньяка не существенно отражался на его походке и координации, разве что глаза у него наливались кровью и как-то зловеще тускнели.

— Ну, рассказывай, как слетали. — Он уселся за стол напротив меня, взял с тарелки кусок колбасы, которую всегда держали для него его секретари, и принялся жевать.

Ага, значит, в этом и крылась причина моего вызова. Видимо, Храповицкий, чтобы его подразнить, нарочно не стал ему ничего рассказывать, а расспрашивать Виктор считал ниже своего достоинства. И предполагалось, что я, поначалу отнормированный формальным вызовом, а потом растаявший от барской ласки, дам ему развернутый отчет.

Я развалился в кресле и закинул ногу на ногу.

— Чудно, — ответил я, словно весь во власти сладких воспоминаний. — С душой погуляли.

— Ну, а что там было-то? — не отставал Виктор.

— Да по обычному сценарию. Кабак, ночной клуб, нехорошие девчонки.

— А как губернатор? — задал Виктор вопрос, который интересовал его больше всего.

— Губернатор? — спохватился я. — Да я с ним особенно не общался. Как-то руки не дошли.

— Все больше с телками, да? — понимающе заулыбался Вася и потрогал бородку.

Трудно сказать, что бесило Виктора больше: моя развязность или Васина глупость. Видя, что толку от меня не добиться, он переключился на Васю.

— А нас, Вася, в такие поездки не приглашают, — заговорил Виктор, как будто рассуждая вслух. — Видать, мы с тобой рожей не вышли.

У Васи было высокое мнение о своей роже. А о роже Виктора — низкое. И союзника в Васином лице Виктору обрести не удалось.

— Радуйся, чудак, — добродушно отозвался Вася. -- Ты знаешь, что такое отдых с начальством? Это же хуже любой пытки. Туда не ходи. Этого не делай. Пей только по приказу. Всем стоять. Всем сидеть. Я в свое время намотался — не дай бог!

— Да дело не в этом, — презрительно отмахнулся от него Виктор. — Я ведь никуда не рвусь, мне и здесь хорошо. Беда в другом. — Он пригладил ладонью встопорщившиеся волосы. — Просто кто-то в последнее время утратил чувство реальности. И возомнил себя незаменимым. И стал лезть куда ему не положено. — Виктор резко повернулся ко мне. — Ты понял, кого я имею в виду?!

— Васю, что ли? — невинно поинтересовался я. За два года у меня выработался иммунитет к его провокациям.

Вася даже подскочил от неожиданности.

— А куда это я больно лезу? — обиженно поинтересовался он, хлопая своими грустными глазами. — Сижу себе тихо. Ни с кем не ссорюсь.

— Не придуряйся, — отрезал Виктор, сверля меня взглядом. — Я про тебя говорю!

Я не спеша закурил и пустил дым колечком. Потом внимательно оглядел оспины на его покрасневшем лице.

— Да ну? — спросил я спокойно. — Вот уж не ожидал.

Можно было обойтись без этого. Он и так уже был на пределе. Теперь его прорвало.

— Я знаю, чего ты добиваешься! Ты нас с Васькой хочешь подвинуть. На чужое место метишь. Спишь и видишь себя долевым. — Он зло выплевывал слова. — А вот это видел?! — Он сунул мне в лицо кукиш. — Видел, я тебя спрашиваю?

— Угомонись, — миролюбиво посоветовал я. — И сделай маникюр. А то губернатор жаловался, что у тебя грязь под ногтями.

— Молчать! — взорвался Виктор. — Кишка у тебя тонка мне грубить! Что ты Вовке про нас поешь? Стравить нас всех задумал? Отвечай, когда я с тобой говорю!

— Ты велел мне молчать, — отозвался я терпеливо. — Нельзя ли как-то яснее отдавать команды?

— Да бросьте вы! — вмешался обеспокоенный Вася. — Из-за чего скандал-то? Чего делим?

Но у Виктора слишком накипело. Он весь клокотал.

— Ты зачем на Пономаря наговаривал у Храповицкого в кабинете? Ты знаешь, что Пономарь мне друг?

— Знаю, — кивнул я. И, посмотрев ему в глаза, сочувственно добавил: — Ты даже представить себе не можешь, сколько я про тебя знаю.

В лице у Виктора что-то опасно задергалось.

— Ты на что намекаешь? — спросил он очень тихо, с угрозой.

— А ты не догадываешься? — усмехнулся я.

— Ну, говори! Или я тебя размажу! — пролаял он.

— Это как? Убьешь, что ли? — Вообще-то я и сам еле сдерживался, но не подавал виду. — То-то я гадаю, для чего ты последние полгода платишь трем отморозкам, которые находятся в розыске и которых ты прячешь то в Москве, то по области?

Это составляло его сокровенную тайну. Были, конечно, и еще, но меня они меньше касались.

К тому, что его главный секрет мне известен, он не был готов. Рот его открылся, он шумно втянул воздух. Несколько секунд я любовался его перекошенным лицом.

Я знал даже, сколько он им платит, поскольку один из его собственных охранников спал с одной из его собственных жен. Последней. А делился этим с Гошей. Который, соответственно, все рассказывал мне.

Будучи пьяным, Виктор многое ей выбалтывал. О чем потом, возможно, и не помнил.

Вася, ничего не понимая, озадаченно крутил головой, переводя взгляд с одного на другого.

— Что за чушь вы несете? — недоуменно бормотал он. — Ничего не понимаю.

Я не стал на него отвлекаться.

— А может быть, Виктор, ты не меня имеешь в виду? — продолжал я, не давая ему прийти в себя. — Может, ты совсем не для меня бережешь своих парней? Ведь как здорово получится, если мы сейчас вступимся за твоего друга Пономаря и начнем воевать с бандитами. А бандиты, соответственно, с нами. Пальба, засады, «стрелки». Ты ведь этого хочешь? Представь, и я тоже. Обожаю такую жизнь. Одна беда: стрелять не в тебя будут. А в Храповицкого. Он же все-таки главный, ты уж извини за напоминание. — Я подождал, пока он переварит, потом продолжил: — И если с ним что-то случится, то все будут знать, что это сделали бандиты. А начальником будешь ты. А твои ребята наконец осядут где-нибудь в Испании. С котлетой денег.

Испания была завершающим штрихом. Это его добило.

Он рванулся ко мне через стол, хотел ударить, но промахнулся. Вскочив, он бросился на меня. Я уже был на ногах, готовый к драке.

— Да вы что, обалдели! — заорал Вася, кидаясь между нами. — Совсем с ума сошли! Стойте же, дураки!

Наткнувшись на Васю, Виктор чуть не опрокинул его. Он тяжело дышал. Лицо его было багровым. Несколько минут он тщетно боролся с Васей, потом оставил свои попытки, отшатнулся и одернул задравшийся джемпер.

— Свободен! — рявкнул он мне.

— Вот именно, — подхватил я. — Причем абсолютно. Поэтому не вызывай меня больше. Я сам зайду, когда по тебе затоскую.

И я вышел из его кабинета.

2

Когда я вернулся к себе, Оксана отдала мне две бумажки.

— Кулаков ждет вас сегодня в шесть вечера, у себя в кабинете, — доложила она. — И еще вам звонил Савицкий. Спрашивал, когда можно зайти поговорить.

Савицкий был начальником нашей службы безопасности. Храповицкий взял его из ФСБ, где он служил начальником аналитического отдела.

— Скажи, в любое время.

Через несколько минут Савицкий сидел у меня в кабинете. Он был невысокий, сухонький, лет пятидесяти, в очках, с неприметной внешностью бухгалтера. Храповицкий им гордился.

— Я, собственно, хотел посоветоваться, — начал Савицкий по-деловому, без предисловий. — В понедельник шеф дал задание организовать у Сушакова прослушку.

— У Пономаря? — переспросил я.

Савицкий поморщился. Он не любил прозвищ и вообще избегал криминального жаргона.

— Ну да, у Сушакова. Мы, конечно, ко вторнику этот вопрос решили. Шеф велел докладывать ему лично, если появится что-то интересное. Полчаса назад Сушакову в офис позвонил Синицин и назначил встречу на четырнадцать часов возле загородного парка. Шефа сейчас нет на месте. Звонить ему или нет, как думаешь?

— Напомните мне, пожалуйста, кто такой Синицин, — попросил я.

Он молча протянул мне несколько страниц. Это были материалы, написанные в привычном для его отдела обезличенном стиле.

Едва прочитав первые строчки, я хмыкнул.

Бандиты не спешат называть своих фамилий, да и подробности их драматических биографий не вызывали моего интереса.

Поэтому до сей минуты я не имел ни малейшего понятия о том, что гражданин Синицин, которого звали Владислав, носил в бандитском миру прозвище Синий.

То есть и был тем самым человеком, с которым разделяла кров и постель Света Кружилина. Новая и уже бывшая губернаторская любовь. Которую Храповицкому предстояло вышвырнуть из города.

Теперь я это знал. Но решить, чем именно обогащает меня это знание, я не мог. Зато вторая часть материалов была чрезвычайно познавательной.

Судя по тому, что я читал, Владислав Синицин не готовился к политической карьере, в этом они с губернатором не сходились. Не успев окончить школу, он уже позаботился о приобретении срока за разбойное нападение в теплой компании других малолеток. По выходе на волю он некоторое время числился в разных организациях разнорабочим, но, судя по тому, что нигде надолго не оседал, он не разделял убеждения, что труд облагораживает человека.

Охота к перемене мест привела его за решетку еще раз. Теперь уже за драку.

В настоящее время господин Синицин был мальчиком взрослым, ему исполнилось тридцать шесть лет. Последние два года он состоял в организованной преступной группировке Сергея Полыханова, наводившего ужас на губернию под безобидным прозвищем Ильич и базировавшегося в соседнем Нижнеуральске.

Синий не был простым пехотинцем. Он представлял интересы Ильича в столице области и возглавлял бригаду человек в тридцать. Несколько раз его арестовывали за хранение оружия, по подозрению в бандитизме и вымогательстве, но через какое-то время отпускали за отсутствием доказательств. Из чего следовало, что свое финансовое положение со времен малолетних грабежей Синий существенно улучшил.

Хотя Ильич числился в розыске чуть ли не со дня своей выписки из родильного дома, Нижнеуральском он владел безраздельно. Данью было обложено все: от крупных заводов и банков до торговок рыбой у пивных ларьков. Казалось, большая часть населения этого промышленного города, как изъяснялись бандиты, «работала от Ильича». Невозможно было войти в трамвай, не опасаясь того, что едущие в нем безобидные пенсионерки вдруг не потребуют с вас мзду, представляясь грозной братвой Ильича.

В нашем городе больших финансовых интересов у Ильича не было, если не считать десятка средних торговых фирм и еще столько же поменьше. Но в криминальном и обывательском сознании Уральска он присутствовал. Синий, будучи его эмиссаром, авторитетно представительствовал на местных «стрелках», но в войну за передел сфер влияния не ввязывался.

То, что Синий назначал Пономарю встречу, требовало внимания. Разумеется, это могло и ничего не значить. Скажем, Синий хотел пригласить Пономаря в кино и угостить его мороженым. А могло означать и то, что Пономарь все-таки полез в Нижнеуральск. За что и поплатился.

Однако это было таким безрассудством, на которое он, с его осторожностью, никогда не решился бы в одиночку. Даже с тяжелого похмелья. В конце концов существовали более простые способы самоубийства.

Кто-то должен был за ним стоять. И я, кажется, догадывался кто.

— Ну так что, мне звонить шефу или нет? — спросил Савицкий, когда я закончил чтение.

— Думаю, что не стоит, — отозвался я небрежно. — Зачем беспокоить по пустякам занятого человека?

Он посмотрел на меня с сомнением:

— Может быть, наших ребят послать с аппаратурой? Глядишь, что-нибудь удастся записать.

Проблема Савицкого, как и любого другого высокопоставленного в прошлом эфэсбэшника, заключалась в том, что в разговоре с ним иногда важно было вовсе не то, что он говорил. А то, чего он не говорил.

Предполагалось, что не озвученные им смыслы вы схватываете на лету. Но, не служа в ФСБ, вы могли схватить и что-нибудь постороннее. А спросить его о чем-то напрямую было все равно что плюнуть ему на рабочий стол.

Из сообщения, что приказ о прослушке Храповицкий отдавал ему лично, следовало, что ни Вася, ни Виктор об этом ничего не знают. Обоих, кстати, раздражало, что «шефом» он называл только Храповицкого, а их именовал по имени-отчеству.

Некоторая неуверенность интонации в предложении послать своих ребят означала, что он опасается утечки информации, поскольку кто-нибудь из его подчиненных непременно проболтался бы Виктору.

Почему он сам не хотел звонить Храповицкому, а перекладывал эту почетную обязанность на меня, я, признаюсь, так и не понял. Может быть, с его стороны это был знак доверия. А может, он не хотел вызывать гнев начальства, помня, как не любит Храповицкий, когда его тревожат во время его встреч с женщинами.

В том, что Савицкий знает график любого из нас лучше, чем мы сами, я не сомневался.

— Оставьте все это мне, — предложил я. — Попробую разобраться.

Если я надеялся что-то прочитать на его лице, то лишь потому, что еще не изжил детских иллюзий. Он сухо пожал мне руку и вышел.

3

С тех пор как я начал работать у Храповицкого, он категорически запрещал мне неформальные встречи с бандитами, поскольку, по его убеждению, это бросало тень на нашу незапятнанную репутацию в глазах правоохранительных органов. Бескорыстной дружбой с которыми мы дорожили. А об участии в «стрелках» нельзя было даже упоминать.

Если бы я завел об этом речь, Храповицкий просто отвернул бы мне голову. Молча. Но пока он этого не знал, мой орган осмысления находился в моем полном распоряжении. И признаюсь, я считал его не самым бесполезным из принадлежащих мне аксессуаров.

До дружественной встречи двух выдающихся криминальных авторитетов оставалось еще больше часа, поэтому сначала я решил заехать в штаб Черносбруева.

Черносбруев был на боевом посту.

— Ну что, допрыгались?! — приветствовал он меня. — Доигрались! Думали, это все шуточки?!

Признаюсь, как я ни старался, я не мог вспомнить, где именно в последнее время я прыгал и играл, наивно полагая, что все это шуточки, а не те вещи, которыми занимаются серьезные мужчины.

Но я знал, что политики и в мирной жизни являются людьми, мягко говоря, своеобразными. В период же своих избирательных кампаний они переживают сезонные обострения. И разговаривать с ними нужно терпеливо. Как с детьми. Или как с пьяными.

Поэтому я просто сел и посмотрел на него выжидательно.

— Ты слышал, что эта ваша сволочь Кулаков придумал? — бросил он на меня испепеляющий взгляд.

Конечно, я не слышал. Как опять-таки не понимал того, почему Кулаков является нашей сволочью, если деньги мы даем совсем другой сволочи. Но я по-прежнему терпеливо молчал.

— Он в избирком на меня жалобу написал. Мерзавец! За поддельные подписи!

От возмущения Черносбруев не мог усидеть на месте и нарезал круги по кабинету.

— Если я не ошибаюсь, мы тоже писали, — напомнил я осторожно. — В судах у нас на него десятка полтора жалоб лежит. Я думал, это обычная избирательная канитель.

— Ты думал! — передразнил Черносбруев. — А он свидетелей привел! И те говорят, что они меня не выдвигали. Что их подписи подделали!

— А их действительно подделали? — спросил я.

— Откуда я знаю! — огрызнулся он. — Я, что ли, их собирал? Этим начальник штаба занимался. Я его в порошок сотру! Может, и подделали. А может, он этим свидетелям деньги заплатил!

— Насколько мне помнится, мы тоже за подписи платили, — заметил я.

— Значит, он больше дал!

— Значит, не надо было жадничать! — возразил я холодно. Зная, на что ушли наши деньги, я мог бы выразиться и резче, но сдержался.

— Да что ты меня отчитываешь! — возмутился он. — Сейчас-то какая разница! Вот снимут меня с выборов, узнаете тогда!

— Не снимут! — утешил я. — Кому вы, кроме нас, нужны?

Внезапно он остановился, сел на стул, рядом со мной, и, обняв за плечо, горячо зашептал в ухо.

— Можно замять всю эту историю. У меня есть в избиркоме свои люди. Председатель избиркома вообще мой друг. Но нужны еще деньги. Дополнительно. Тысяч двести. Долларов, конечно. Ты пойми, в такой ситуации экономить нельзя. Представь, сколько мы теряем.

Сколько теряли мы, я знал с точностью до копейки. Но легче мне от этого не было.

— Хорошо, — вздохнул я. — Поговорю с Храповицким.

4

Наши уральские бандиты часто избирали загородный парк местом своих встреч. Он располагался на отшибе и тянулся вдоль дороги, поток транспорта по которой был сравнительно невелик.

По бандитским понятиям, опаздывать на «стрелки» неприлично и рискованно. Через пятнадцать минут ожидающая сторона имеет право отбыть, объявив, что вы испугались и не приехали. После чего вы почти автоматически выбываете из почтенного бандитского сословия. И тогда в общении с серьезной братвой вы можете рассчитывать лишь на дискомфортную езду в багажнике.

Я не сомневался, что участники встречи прибудут вовремя. Но никак не раньше. Ибо суетятся лишь люди, не уважающие себя. Иными словами — коммерсанты.

Я прибыл минут за десять до начала спектакля, чтобы успеть припарковать свои машины внутри парка, где они были не заметны с дороги, и устроился в тени деревьев в засаде, взяв с собой Гошу.

Первым появился белый «Мерседес», на котором рассекал по городу Пономарь, бросая дерзкий вызов дорожной грязи. За ним следовали три иномарки с его братвой. Они лихо затормозили у входа, но никто не вышел.

Минуты через три подкатили два джипа с начерно тонированными стеклами и остановились рядом с машинами Пономаря, практически перегородив все движение по шоссе. Теперь участники были в сборе.

Захлопали дверцы, и бандиты высыпались наружу. Были они почти неразличимы: коротко стриженные, в джинсах и черных кожаных куртках, которые вздувались от оружия. С Синим было четыре человека. С Пономарем приехало человек двенадцать, что в данном случае свидетельствовало не о том, что Пономарь круче, а о том, что он больше опасается.

Сначала приветствовать друг друга отправилась «пехота». Переваливаясь, как пингвины, они ходили у входа в парк кругами, молча, пожимая руки двумя руками. Затем без спешки показались предводители.

Пономарь был в длинном светлом пальто и на фоне черного пейзажа с черными фигурами выглядел вызывающе. Он шел, нарочито ни на кого не глядя, закинув голову наверх и крутя ею из стороны в сторону, будто считая птиц. Своим видом он явно демонстрировал беззаботность, что было, в общем-то, не очень уместно. Рядом с Пономарем, нервно подпрыгивая, вышагивал Плохиш. Его толстое, одутловатое лицо было хмурым и озабоченным. Он явно предпочел бы сейчас находиться в другом месте.

Навстречу им разбитной блатной походкой двигался Синий. Это был смуглый, черноволосый парень, смазливый, с дерзкими глазами и ямочкой на подбородке. Одет он был в черный кожаный плащ до пят.

Во всех его разболтанных движениях было что-то непередаваемо наглое, что женщины часто принимают за проявление силы и что им порой очень нравится. Он улыбался, но как-то недобро.

Я кивнул Гоше, чтобы он оставался на месте, чего он, разумеется, не сделал, и пошел вперед. Мы сошлись практически одновременно.

— Здорово, парни! — начал я с ходу, прежде чем они успели опомниться от моего появления. — Что это вы тут делаете?

Пономарь и Плохиш ошарашенно уставились на меня.

— Вот это да! — весело ахнул Синий. — Никак храповицкая крыша прибыла? Здоров, братан!

— Да вот гулял по парку, смотрю, знакомые подъехали, — пояснил я.

— Рассказывай, братан, — радостно оскалился Синий. — Сколько же бандитов на меня, на горемыку, враз наехало! Аж как-то не по себе. Слышь, пацаны. — Он повернулся к своим. — Может, уедем, пока не загрузили до талого.

Те загоготали. Смысл его намека был ясен.

«По понятиям», то есть по тому своду законов, которым регулировались отношения в их мире, я представлял собой что-то среднее между «фраером» и «коммерсантом». Пономарь хоть и предводительствовал бригадой, но занимался торговлей, то есть оставался по своей сути «барыгой». И хотя Ильич недавно ввел в «понятия» новую норму, призвав считать коммерсанта «тоже человеком», у старой бандитской гвардии эта революционная новация не встречала понимания. Несколько лучше смотрелся Плохиш, но и он был безнадежно опозорен своим официантским прошлым и не котировался выше «черта». В отличие от нас троих Синий был голубой крови.

Стволы, впрочем, тут были у всех. Включая Гошу. И это обязывало к продолжению беседы.

Пономарь прокашлялся.

— Ты извини, Андрей, — смущенной скороговоркой произнес он. — У нас тут разговор серьезный. Ты не обижайся, ладно...

Это означало нежелательность моего присутствия здесь.

— Так вы что, не вместе? — удивился Синий. — Вы же вроде в долях плаваете.

— Не всегда, — сказал я, многозначительно глядя на Пономаря и не трогаясь с места.

— А я другое слышал, — озадаченно почесал затылок Синий. — Да ладно, это ваши дела. Короче, суть такая. Вы там купили у наших коммерсантов в Нижнеуральске тридцать два процента акций азотного завода, так?

Пономарь не ответил. Плохиш поежился и закурил. Его, кажется, слегка знобило.

— Так, — уверенно ответил на свой вопрос Синий. — С коммерсантами мы потом разберемся. Сейчас разговор не за них. А за вас. Этот завод наш. И рулим там мы. И без нашего спроса там комары в половые отношения не вступают. — Он выразился несколько энергичнее.

Было заметно, что избранный им тон Пономарю не нравится. В отличие от Плохиша он не боялся.

— Твой, что ли, завод? — спросил Пономарь резко.

— Не мой, — веско ответил Синий. — И не твой. А Сережин. — Он даже за глаза не называл Ильича по прозвищу. — Я от себя, что ли, тут с вами тру?

— Тогда зачем я с тобой время теряю? — презрительно бросил Пономарь, повернулся и пошел к машине.

Плохиш от неожиданности выронил сигарету. Даже Синий растерялся, не готовый к такому обороту. Привычное дерзкое выражение его лица сменилось недоумением.

— Слышь, — крикнул он вдогонку. — Так что мне Сереге передать?

Но Пономарь уже захлопнул дверцу. Его люди не спеша, с достоинством последовали его примеру. Плохиш некоторое время топтался на месте, потом бросился их догонять. Через минуту все четыре машины сорвались с места.

Синий повернулся ко мне.

— Смелый, но дурной, — неодобрительно покачал головой Синий. — Плохо кончит.

Но плохо кончить предстояло совсем не Пономарю.

5

Вернувшись на работу, я сразу направился к Храповицкому. Поскольку его рабочий график целиком и полностью зависел от его настроения и часто нарушался, в приемной у него всегда толпился народ. Те, кому не хватало места на диване и креслах, ждали стоя. Было душно, несмотря на включенный кондиционер.

— Подождите в коридоре! — сердито командовала Лена вновь прибывающим. — Вы же знаете, Владимир Леонидович не любит, когда у него скапливается толпа.

При моем появлении глаза Лены недоброжелательно блеснули под стеклами очков.

— У него важная встреча! — сделала она последнюю, отчаянную попытку меня остановить.

— Наконец-то! — возликовал я. — Взялся за ум!

И под ее возмущенный клекот я вошел в кабинет.

Храповицкий развалился в кресле за своим рабочим столом. Напротив него, чуть подавшись вперед от напряжения, сидели двое пожилых мужчин, по одежде и внешнему виду менее всего напоминавших представителей бизнеса. Один был в явно не новом, хотя все еще аккуратном костюме, с длинным морщинистым лицом и слезящимися глазами. Другой — толстый, с черной бородой, в вязаной кофте, не сходившейся на его объемном животе. Он все время тяжело вздыхал: не то его угнетал разговор, не то собственный вес. На обоих, впрочем, были опрятные белые рубашки и невыразительные галстуки.

То обстоятельство, что Храповицкий не приглашал их за небольшой круглый стол, стоявший чуть поодаль, а разместил как просителей или подчиненных, говорило о его желании подчеркнуть свою ведущую роль в разговоре. Вообще трюками по созданию дополнительного давления на собеседника он владел в совершенстве.

Я незаметно подмигнул ему, кивнул обоим посетителям и сел в кресло, чуть в стороне.

— Поймите нас правильно, Владимир Леонидович, — заговорил длиннолицый после паузы, вызванной моим приходом. — Мы люди немолодые, всю жизнь проработавшие в прежней системе, ничего не понимаем в современном бизнесе. И то, что вы предлагаете, нас, конечно, пугает.

— Чего же тут страшного? — усмехнулся Храповицкий. — Я же вам деньги предлагаю, а не фильм ужасов посмотреть.

Теперь я их вспомнил. Я уже видел их в том же составе, в том же месте. Они возглавляли какую-то монтажно-проектную организацию с непроизносимым названием. Тот, что со слезящимися глазами, был директором, а бородатый являлся его заместителем. Организация в советское время процветала на государственных заказах. Сейчас она захирела и дышала на ладан. Большая часть сотрудников находилась в вынужденных неоплачиваемых отпусках.

Храповицкий собирался ее купить, но цену увеличивать не желал. А потому демонстрировал им сейчас некоторую небрежность. Ему как будто было немного скучно и жаль терять время на такую пустячную сделку.

— Да как же, Владимир Леонидович! — вздохнул бородатый. — Все-таки шестьсот человек сотрудников. Что будет с ними?

— А что с ними сейчас? — возразил Храповицкий. — Водкой торгуют в подземных переходах. Или случайными подработками на стороне перебиваются.

— Ну зачем вы так? — обиделся бородатый. — Они же люди науки.

— Люди науки не могут питаться одной наукой, — наставительно продолжал Храповицкий, несколько, впрочем, смягчаясь. — И от забот о поисках хлеба насущного их лучше избавить. Мы обеспечим вас заказами, причем не только нашими, но и московскими.

— В столице и своих специалистов хватает с избытком, — осторожно заметил директор, протирая платком слезящиеся глаза.

— Вы не знаете наших возможностей, — снисходительно улыбнулся Храповицкий. — Кроме того, мы отремонтируем все здание. У ваших сотрудников будет хорошо оплачиваемая работа, удобные кабинеты. О чем еще мечтать людям науки?

Бородатый заерзал. Было видно, что он хочет что-то сказать, но не решается.

— Нас все-таки смущает цена! — наконец выпалил он. — Как-то маловато...

— Триста тысяч долларов вам мало! — ахнул Храповицкий. — Видно, вы очень богатый человек! Для меня, например, это очень большие деньги. А потом не забывайте, мы собираемся инвестировать в вашу организацию сумму в три раза большую.

Я подумал про себя, что за те сутки, что мы не виделись, его финансовое положение, должно быть, существенно пошатнулось, если триста тысяч долларов вдруг стали для него большими деньгами.

— А как же мы с Валерием Егорычем? — сдавленно осведомился директор, кивая на бородатого. — Я имею в виду после продажи?

— С вами будет подписан контракт о том, что вы сохраняете свои посты в течение двух лет. — Заметив разочарование на их лицах, Храповицкий перешел на доверительную интонацию. — Поймите, это максимум того, что я могу сделать. У меня есть равноправные партнеры, которые руководствуются правилами нашей компании. Обычно мы подписываем контракты лишь на год.

Я ожидал, что он сейчас попросит их посмотреть в его честные глаза. Но вместо этого он за подтверждением обратился ко мне.

— Верно, Андрей?

— Это наша практика, — ответил я. И соврал. Поскольку в нашей практике контрактов не существовало вовсе. Обычно Храповицкий увольнял людей, когда считал нужным.

— А по истечении двух лет никто нам не мешает этот контракт продолжить, — добавил Храповицкий. — Если это будет зависеть от меня, даю вам слово, что так и сделаю.

— Ну, хорошо, — произнес директор, которого явно все еще мучили сомнения. — Дайте нам неделю на раздумье.

Они поднялись, вежливо попрощались и вышли.

Как только дверь за ними закрылась, Храповицкий сразу преобразился. Теперь он весь горел веселым и злым азартом.

— Спорить могу, согласятся! — воскликнул он, радостно потирая руки. — В крайнем случае еще сотню набросим.

— А что там у них интересного? — полюбопытствовал я.

— Он еще спрашивает! У них прекрасное здание в центре города, — принялся загибать длинные сильные пальцы Храповицкий. — Восемь тысяч квадратных метров плюс двор, гаражи и служебная стоянка у входа. И дом отдыха в сосновом бору, занимающий полтора гектара. Вся их недвижимость тянет миллиона на три-четыре. Это если продавать ее в спешке.

— А мы будем продавать?

— А черт ее знает! — Храповицкий пожал плечами. — Хотя есть и другие варианты. Можно сделать в здании ремонт и превратить его в торговый центр. Лучше места в городе не найти. Вместе с ремонтом окупится за год. А на месте дома отдыха начать строительство коттеджей на продажу. Беспроигрышный вариант.

— А что с народом? — полюбопытствовал я.

— Андрей, у нас своих девать некуда, — зевнул Храповицкий. — И все денег просят. Неужели ты думаешь, у меня о чужих людях будет голова болеть?

— Старичков тоже на помойку?

— А тебе их жалко? Серьезно?

— Жалко, — признался я.

Доселе довольное лицо Храповицкого затвердело. Проявление человеколюбия в бизнесе его всегда раздражало.

— Это совсем не столь безобидные старички, как кажутся, — заговорил он с нажимом. — Пристроили в организацию всю свою родню. Выкупили у доверчивого коллектива 80 процентов акций. Сдают пару этажей в аренду под какие-то торговые ларьки. Деньги кладут себе в карман. И рассказывают, как они заботятся о родине и своих сотрудниках. И вот они приходят ко мне, коварному, беспощадному хищнику, как они наверняка меня называют, и хотят нажиться. Заметь, они вовсе не собираются делиться полученной от меня суммой со своим народом, который занимается чем попало, лишь бы не протянуть ноги с голоду. Это, по их мнению, должен сделать я. И при этом предполагается, что я оставлю их начальниками, чтобы они могли, как и прежде, надувать щеки и обделывать свои копеечные делишки. Не выйдет! Когда ты берешь деньги, ты принимаешь на себя определенные обязательства. И если ты их не выполняешь, будь готов к наказанию. А на будущее запомни: если ты не перестанешь смешивать бизнес и благотворительность, то очень скоро тебе придется жить на благотворительные пожертвования.

Поставив точку в разговоре, он сменил тему:

— Расскажи лучше, что у тебя утром произошло с Виктором. — Он подобрался и стал серьезным.

— Да так, — неохотно ответил я. — Не сошлись во мнениях. Слегка повздорили. К этому давно шло.

— Не надо со мною лукавить, — сказал Храповицкий спокойно и внушительно. — Я сейчас спрашиваю не как начальник, а как друг. Мы оба с тобой понимаем, к чему все идет. Тем более что Вася уже прибегал ко мне с вытаращенными глазами. Взахлеб рассказывал, как вы там подрались, он вас разнимал. Давай, выкладывай!

6

По возможности кратко я пересказал ему наш утренний инцидент с Виктором. Храповицкий слушал, не перебивая, хмурился и барабанил пальцами по стеклянной поверхности стола.

— Интересно, — рассеянно пробормотал он, когда я закончил. — Значит, Виктор замышляет переворот... Очень интересно.

Глаза его сузились. В задумчивости он потер подбородок большим и указательным пальцем.

— Ты, кажется, не особенно удивлен, — заметил я.

— Я догадывался об этом, — ответил он просто. — Такие вещи всегда чувствуешь. Понимаешь, сначала он просто нервничал и часто срывался. Потом как-то притих и затаился. Как будто загнал болезнь внутрь. Но скрытая неприязнь ко мне иногда прорывается. И то, что он не решается высказать мне, он выплескивает на тебя. А последнее время в нем появилось что-то подчеркнуто дерзкое. Как будто у него есть секретное оружие, которое он никак не решится пустить в ход. А про этот его засадный полк ты знаешь какие-нибудь подробности?

— Только то, что ребята служили в военной разведке. В мирную жизнь не вписались. Пробовали создать свою бригаду из тех, кто воевал в Чечне. Что-то не очень пошло. Пришлось заняться узкой специализацией — заказными убийствами. Но все это я знаю понаслышке. Без имен и фамилий.

Даже ему я не хотел открывать свои источники.

— И Виктор им платит. — С ударением на каждом слове проговорил Храповицкий. — Очень любопытно.

Он зло усмехнулся.

— И когда ты ему об этом сказал, он полез в драку?

— Можно предположить, что его взбесило то, что он счел клеветой, — вступился я. — Давай разграничим две вещи. Первая заключается в том, что у Виктора есть группа людей, готовых выполнить любой его приказ. Вторая — это мои догадки о том, какой именно приказ он собирается отдать. Я могу ошибаться.

— А я — нет! — воскликнул Храповицкий, хлопнув ладонью по столу. Глаза его блеснули. — Моя интуиция никогда меня не подводит.

Я мог бы привести десятка два примеров, когда его интуиция его подводила. Раньше я, бывало, так и поступал. Однако он тут же принимался спорить и доказывать, что он с самого начала все понимал правильно, но потом под моим влиянием изменил свое мнение. Что, как вы сами понимаете, и привело к ошибке. И, кстати говоря, именно так происходит каждый раз, когда он меня слушается. Из чего следовал железный вывод, что советоваться со мной следовало лишь для того, чтобы поступить наоборот.

Он надолго замолчал. Я следил за его лицом. Сейчас оно было жестким, хищным.

— И что же мы теперь предпримем? — поднял он на меня тяжелый взгляд черных, колючих глаз.

— Мне кажется, вам пора объясниться, — осторожно предложил я. — Иногда очень важно выплеснуть накопившиеся обиды.

— В чем объясниться?! — вспылил Храповицкий. — Когда задаешь вопрос, ты должен предполагать, какой ответ ты услышишь! Неужели ты думаешь, что Виктор что-то признает? Что он откровенно сознается, что хочет занять мое место? Что готовится меня убить? Что он завидует мне? Что он сходит с ума от этой зависти? Какие могут быть объяснения!

Он схватил телефонную трубку, начал лихорадочно набирать какой-то номер, потом передумал, швырнул трубку на место и закурил.

Я ждал. Он нечасто выходил из себя и после вспышек быстро остывал.

— Не могу сказать, что все это время я сидел сложа руки, — заметил он другим тоном, чуть спокойнее, и откинулся в кресле. — Я тоже подготовился. Предпринял кое-какие меры. Судя по всему, наступила пора действий.

Он сжал губы.

— Виктор подумывает, как избавиться от меня. Значит, я должен нанести упреждающий удар. В целях своей безопасности. Так?

Это было скорее утверждение, чем вопрос.

— Не знаю, — покачал я головой. — Честно говоря, я не уверен. Ведь если перевести на простой язык, то я сейчас на основании своих умозаключений, которые могут оказаться неверными, должен посоветовать тебе убить партнера. Я не могу. И я не думаю, что Виктор в свою очередь сформулировал подобную цель для себя. Это же вообще не просто, вот так взять и решиться убить человека, с которым работаешь и дружишь. В этом желании даже наедине с собой признаться трудно.

— Какой ты наивный! — презрительно усмехнулся Храповицкий. — Никто и никогда ни в чем себе не признается. Ты полагаешь, что кто-то живет сорок лет, считает себя порядочным, а однажды утром просыпается и, бреясь перед зеркалом, объявляет: «Что-то надоело мне быть хорошим. Не пора ли превратиться в подлеца и негодяя»? Не смеши меня! Человек всегда находит себе оправдание. Он говорит: «Я так много добра сделал для такого-то и такого-то. А что я получил взамен? Только обман и несправедливость. И если я хочу оставаться честным человеком, я должен положить этому конец». Что-то в этом роде. После чего он с чистой совестью обкрадывает такого-то и такого-то. Или пишет на него донос. Или нанимает убийц.

— И все-таки мне кажется, что тут другое. Виктора опьяняет эта тайная власть над чужой жизнью и смертью. Понимаешь, как бы мы ни старались доказать окружающим, что мы от рождения были богатыми и умными, на самом деле на всех нас большие деньги обрушились внезапно. Практически в одночасье. И далеко не все из нас оказались к этому готовы. Когда-то мы даже представить себе не могли, как много можно купить за деньги. Особенно сейчас в России, где все продается. Все без исключения. Машины, дома, самолеты. Должности. Замужние женщины. Государственные секреты. Чужая жизнь. Все это имеет свою цену. Ты платишь и получаешь. Достаточно ткнуть пальцем. Это сумасшедшее ощущение! Как будто у тебя волшебная палочка. И каким бы сильным ты ни был, иногда у тебя начинает кружиться голова, оттого что все доступно. Некто вредит тебе изо всех сил, из кожи вон лезет. А на самом деле он находится в твоей полной власти. И даже ничего об этом не подозревает. И в любую минуту по твоему приказу с ним сделают что угодно: убьют, искалечат. При этом ты останешься безнаказанным. Это очень глубокое и обжигающее чувство. И, может быть, Виктор упивается им. Но это еще не означает, что он готов убивать. Это как незаконный пистолет, который ты купил и которым каждый вечер любуешься. Он дает тебе ощущение безопасности и власти. Но, приобретя его, ты же не становишься автоматически убийцей! Короче, мне кажется, что Виктору нравится переживать снова и снова эти запретные ощущения. И чем больше его обиды на мир, тем слаще сознание, что он может расквитаться со всеми.

— Может, ты и прав, — отозвался Храповицкий. — Только я не пойму, что это меняет. — В разговоре он всегда оставался конкретным и не любил обобщений. — Ты говоришь про психологические мотивы действий, которые могут быть такими или другими. А я имею дело с результатом. Результат в том, что у обиженного и запойного человека оказалось в руках опасное оружие. И никто не знает, когда он начнет палить. И кто станет его мишенью. Может быть, ты. А может быть, я.

Я понял, что в глазах Храповицкого устранение меня было все-таки меньшим злом, чем устранение его. Мне сделалось слегка неуютно. Перспектива стать мишенью Виктора даже в компании с Храповицким меня не очень вдохновляла. А становиться мишенью в одиночку было и вовсе скучно.

Храповицкий вновь потер подбородок, думая о чем-то своем.

— Забавно получается, — вдруг заметил он. — Мы с Виктором знаем друг друга лет восемь. Мы дружили семьями, вместе пили, вместе изменяли женам. Иногда с одними и теми же женщинами. Вместе дрались. Вместе попадали в милицию и откупались. И мы страстно мечтали разбогатеть. А сейчас, когда мы заработали огромные бабки, мы готовимся убить друг друга. Смешно, да? Кто бы мне объяснил, почему так выходит...

— Тем более вам необходимо поговорить, — настаивал я. — К тому же это не единственный вопрос, который требует обсуждения. Сегодня я случайно встретил Пономаря. У него была встреча с Синим...

— Так ты все-таки потащился туда?! — взвился Храповицкий. — Я же запрещал тебе! Ты давал мне слово!

Когда мне Савицкий сегодня днем доложил об этой «стрелке» и я не застал тебя на месте, я все-таки в глубине души надеялся, что даже твоего неслыханного нахальства не хватит, чтобы наплевать на мои приказы.

— Володя, — сказал я как можно более проникновенно. — Я виноват. Я работаю над собой. Но у меня не всегда получается. Это в последний раз.

Если вы чего-то хотите добиться от женщин или деспотов, то не реже двух раз в день вы должны признавать, что вы были кругом виноваты, а они во всем правы.

— Притворяешься? — подозрительно спросил Храповицкий, сверля меня взглядом.

— Нет, — ответил я, тараща глаза как можно искреннее.

Еще минуту он пытался залезть ко мне под кожу, потом успокоился.

— Ну, ладно, — смягчился он. — В последний раз. Запомни. Рассказывай.

Я рассказал ему о «стрелке».

— Значит, по милости Пономаря мы вот-вот вляпаемся в войну, — заключил Храповицкий. — Отлично! То, чего мне с утра не хватало. Сначала я поскандалил с Олесей. Потом в очередной раз навсегда расстался с Мариной. Потом выяснилось, что мой партнер хочет отнять мою невинную жизнь. И, наконец, обнаружилось, что мне предстоит погибнуть за неизвестные мне интересы Пономаря. Какой славный денек выдался!

— Можно набрать телок и отвалить в Ниццу развеяться, — предложил я.

— Логично, — похвалил Храповицкий. — Так поступают все бизнесмены в минуту опасности. Ничего умнее от тебя не дождешься. Нет уж. Мы сделаем по-другому. Завтра вечером объявляю полный сбор. Виктор, Вася, ты и Пономарь. И не разойдемся, пока не выясним все до конца. А то и вправду перестреляем друг друга.

— Если тиран что-то решил, убедить его невозможно, — угрюмо вздохнул я.

— А ты как думал! — отозвался Храповицкий самодовольно.

Именно так я и думал.

114

ГЛАВА ШЕСТАЯ

1

Перед входом в мэрию стояла толпа с плакатами. Мы выставляли здесь ежедневные пикеты, в которые засылали от сорока до пятидесяти человек, на тот случай, если у журналистов не возникнет других поводов для репортажей. При этом я настаивал, чтобы студентов на такие мероприятия не посылали. Готовые за гроши принимать участие в любой политической акции на любой стороне, они всегда смотрелись неубедительно. Приходилось гонять рабочих с наших предприятий и покупать различные инвалидные и профсоюзные организации.

Лозунги в целом были стандартными: «Плохой мэр — плохие дороги!», «Кулаков, вспомни о людях!» и «Бюрократов — за решетку!». Была, впрочем, и находка нашего штаба, которой очень гордился Черносбруев.

Чуть поодаль от общей разношерстной группы каждый день у мэрии караулили пять-шесть толстых унылых теток в платках с написанным от руки плакатом: «Кулаков! Верни алименты!» Это позволяло прессе строить догадки по поводу наличия у Кулакова несметного числа незаконнорожденных детей.

На сей раз напротив наших бойцов за справедливость томилось человек двадцать пенсионеров в обтрепанных пальто и телогрейках. Судя по лозунгам «Не отдадим город олигархам!» и «Кулаков, мы тебе верим!», они представляли противоположную сторону. В отличие от наших, которые грызли семечки и лениво переговаривались, пенсионеры горели негодованием.

Время от времени демонстранты вступали в перебранку.

— Сколько вам платят за вашу подлость? — выкрикивал сухонький старичок в поношенной шляпе, гневно сверкая стеклами очков.

— Да уж побольше, чем вам! — радостно отвечал ему краснорожий здоровый парень с нашей стороны.

— Мы тут не за деньги стоим! — возмущался старичок. — Мы по убеждениям!

— Тогда переходи к нам! — советовал ему парень. — Хоть на бутылку себе заработаешь!

— Я не пью! — обижался старичок.

— А вот это правильно! — одобрительно гудел парень. — Если ты, дед, по трезвости такой дурной, что бесплатно на митинги ходишь, то представляю, что ты по пьянке вытворяешь!

Я миновал непримиримых идейных противников и вошел в здание.

Наверное, даже самые преданные сторонники Кулакова не решились бы назвать его пунктуальным человеком. Потому что между художественным преувеличением и бесстыдной ложью все-таки есть разница.

Графики, составляемые своими помощниками, Кулаков, видимо, считал злонамеренной диверсией, направленной на внесение беспорядка в его рабочий день. Он вовсе не был лентяем. Напротив. На службе он проводил не меньше двенадцати часов ежедневно, включая субботы, а нередко и воскресенья.

Просто никто в его окружении не знал, в какое время он появится и когда покинет кабинет. Он мог, например, прийти к обеду и до двух часов ночи принимать измученных посетителей в порядке живой очереди. А могло быть и так, что, явившись на запланированную с ним встречу, вы узнавали, что он улетел в Москву. О чем его помощникам было сообщено по телефону двадцать минут назад.

Храповицкий по сравнению с ним был образцом пунктуальности.

Поэтому, когда я ровно в 18.00 вошел в его приемную, забитую битком самой разношерстной публикой, и услышал, что у него началось совещание, назначенное на 16.00, я не очень расстроился. По крайней мере он был на месте.

Минут сорок я терпеливо ждал, изучая его посетителей. Здесь были и заплесневелые чиновники, чья жизнь прошла в ожидании приемов. И надутые спесью бизнесмены, постоянно поглядывавшие на часы и поминутно хватавшие мобильные телефоны, чтобы отдать какие-то

116

распоряжения. И измученные немолодые женщины, по виду многодетные матери, вечно осаждавшие мэрию просьбами о предоставлении бесплатного жилья. И запуганные беженцы из Азии. И еще бог весть кто.

Обогатив природную любознательность наблюдениями над человеческой природой и придя к неутешительному выводу, что, в отличие от домашних животных, дрессуре она не поддается, я встал и решительно направился к кабинету.

— Туда нельзя! Там занято! — испуганно закудахтала пожилая секретарша.

— Я только поздороваюсь, — улыбнулся я успокаивающе. И вошел.

В кабинете было непереносимо накурено. Человек двадцать заместителей Кулакова и глав департаментов сидели вокруг длинного стола, за которым председательствовал мэр.

Увидев меня, Кулаков не удивился.

— Проходи, садись, — кивнул он, как будто все это время я заседал вместе с ними и отлучался на минутку.

Я пристроился с краю, рядом с каким-то неопрятным чиновником. Собравшиеся по очереди рассказывали Кулакову что-то о благоустройстве города, сносе ветхого жилья, ремонте трубопроводов и других столь же глубоко интересующих меня проблемах. Он прерывал их вопросами, давал поручения. Наконец, когда я уже начинал подумывать, не поведать ли и мне что-нибудь из своей личной практики, просто дабы оживить беседу, Кулаков объявил, что совещание закончено.

Стулья задвигались, чиновники зашаркали затекшими задними конечностями и потащились к выходу. Мы остались вдвоем в большом неуютном кабинете со старой, облезлой мебелью и обшитыми деревянными панелями стенами.

Некоторое время мы молча изучали друг друга.

Он был среднего роста, крепко сбитый, лысеющий, с простым мужицким лицом, крупным широким носом и проницательными серыми глазами. Неизвестно для чего он носил усы, которые совсем ему не шли. А вот костюмов и галстуков он не носил, довольствуясь какими-то бесформенными куртками.

— Знаешь что? — неожиданно сказал Кулаков. — А давай-ка сбежим отсюда. А то здесь народу полно, поговорить спокойно не дадут.

Голос у него был низкий, басовитый. Он нажал кнопку вызова секретарши.

Она вошла и остановилась в дверях, окинула меня неодобрительным взглядом и уставилась на него с обожанием.

— Нина Павловна, я тут отъеду на пару часов, — объявил он. — У меня важная встреча. Вы там как-нибудь людям объясните. Я часам к девяти вернусь. На штаб.

Она привычно вздохнула и поджала губы.

Когда она удалилась, он провел меня из кабинета в смежную комнату, где стояли диван, кресла и журнальный стол. Комната была снабжена дверью, выходившей прямо в коридор.

— Служебный выход, — усмехнулся Кулаков. — Полезная штука.

При своей грузности двигался он стремительно, при этом постоянно что-то задевая или натыкаясь на углы. Он немного смахивал на медведя. Мы вышли с другой стороны от главного подъезда, где я оставил машины, чтобы не привлекать внимания. Кулакова ждала черная «Волга». Мы сели на заднее сиденье. Мой джип и моя охрана тронулись следом.

— Хорошая машина? — спросил Кулаков, кивнув на джип.

— Для наших дорог лучше не бывает, — ответил я без задней мысли.

Он услышал в моих словах укор.

— А вы мне с вашим губернатором деньги даете на ремонт дорог? — сразу вскипел он. — Город формирует шестьдесят процентов всего дорожного фонда области, а назад получает слезы! За свои деньги ремонтируем. Крутимся, как можем! А по закону — это ваша обязанность!

Я не знал, что ремонт дорог входит в мои обязанности, и молча принял это к сведению.

— Я слышал, вы хотите еще и горячую воду в домах отключить, если я до конца месяца не расплачусь с энергетиками? — продолжал он.

В отличие от него я и этого не слышал. Но виду, естественно, не показал.

— Думаю, это вопрос обсуждаемый, — заметил я осторожно.

— Молодцы ребята! — горько воскликнул он, крутя головой. — Хорошо работаете! Денег из областного бюджета — ноль! Грязью меня обливаете с утра до вечера по всем телеканалам. И еще под выборы город хотите оставить без горячей воды, а на меня все свалить.

— Вы зря думаете, что это мои личные происки, — ответил я. — Бывает, конечно, выйду ночью на проезжую часть и колочу по ней ломом. Но это только когда не спится. Однако, воля ваша, но до трубопроводов я еще ни разу не добирался.

Он посмотрел на меня и усмехнулся.

— Да не обращай внимания. Я, видать, еще не отошел от всей этой ерунды.

Жил Кулаков за городом, на просеке, в небольшом двухэтажном доме старой постройки, мало чем отличавшемся от соседних строений. Первый этаж был каменным, второй — деревянным. Дом был окружен привычными шестью сотками сада. Сад, впрочем, был ухоженным, это чувствовалось даже осенью.

Лет десять назад его владения могли считаться неплохой летней дачей, сейчас они выглядели довольно жалко. За последние годы мне не приходилось бывать в домах, чья общая площадь составляла меньше пятисот квадратных метров.

— Ты ведь дома у меня еще не был? — спросил Кулаков, выходя. — Ну, пошли, посмотришь, как мэр живет. А то все про Испанию пишешь... пишете, — поправился он. Судя по тому, что он уже не в первый раз высказывал мне обиды, все эти дурацкие статьи его задевали.

Нас встретила высокая, выше Кулакова, стройная темноглазая женщина лет сорока с небольшим, с черными густыми волосами и красивым волевым лицом, в котором чувствовался характер.

— Марина, познакомься, это Андрей Решетов, — представил меня Кулаков. — Мой товарищ. Правда, бывший. Ты нам собери что-нибудь поесть. Только быстро. Мне еще на работу вернуться надо.

Она протянула мне руку и улыбнулась, не то сочувственно, не то понимающе. Словно просила снисходительно отнестись к колкостям мужа и его чудачествам.

Слева от входа был деревянный пристрой, что-то вроде закрытой веранды. Там стоял длинный и широкий струганый стол, покрытый лаком, и такие же скамьи. Там мы и сели. Здесь было довольно холодно, и я не стал снимать пальто.

— Жена у вас красивая, — сказал я.

— А ты думал, я совсем лапоть? — лукаво улыбнулся он.

— Я не то хотел сказать, — смутился я.

— Да не извиняйся. Я не такой дурак, как кажусь, — продолжал он. — Просто стригусь неудачно и воровать не люблю. Хотя с вашей точки зрения это, наверное, одно и то же. Однако, видишь, не всех красивых женщин в городе вы купили.

— Некоторых не успели, — согласился я. — Промашка вышла.

Через несколько минут его жена появилась с подносом, уставленным тарелками. Пока она накрывала и раскладывала приборы, он пару раз исподволь посмотрел на нее. И по этому взгляду было заметно, что он ею гордится.

— А Петька где? — спросил он у нее.

— После школы пошел на тренировку, — ответила она кратко.

— Это хорошо! — заметил он одобрительно. — Я сына в бокс отдал, — пояснил он мне. — Двенадцать лет мальчишке. Характером, правда, в мать. Упрямый. Боец. — Он подмигнул мне. — Нет в нем моей мягкости.

— Но умный-то он в тебя, — ответила она невозмутимо.

— Умный в меня, — согласился он. — А в кого же ему еще умным быть?

— Не в кого, — подтвердила она и, опять улыбнувшись мне, вышла.

Про себя я отметил, что он ничего не спросил про падчерицу, а жена не сказала. Видимо, некоторая напряженность существовала в семейных отношениях.

— Ну, о чем будем торговаться? — задиристо осведомился он, набрасываясь на еду.

2

Готовясь к разговору, я, конечно, не надеялся, что он будет легким. Но, в отличие от Храповицкого, я иногда ошибаюсь. Похоже, все обстояло гораздо хуже, чем я ожидал.

Мы были почти уверены в своей близкой победе. И я не сомневался в том, что найду его тревожным и взвинченным. Поэтому я предполагал сначала немного надавить, обрисовав ему перспективы неминуемого поражения. А потом благородно отступить, подарив ему возможность договориться с нами на наших условиях.

Проблема заключалась в том, что Кулаков явно считал иначе. Конечно, он не был безмятежен, но в свой выигрыш, похоже, верил твердо. Настроен он был по-боевому и сдаваться отнюдь не собирался.

— Я не знаю, насколько можно доверять последним рейтингам, — начал я издалека, но он меня перебил.

— Смотря, сколько вы за них заплатили. Хорошо заплатили — хорошие рейтинги. А поскольку денег у вас куры не клюют, думаю, что я в ваших рейтингах вовсе даже не значусь. — Он пожевал. — Я эти опросы и не заказываю! Я и так выиграю.

— Да вы прямо лихой кавалерист, — усмехнулся я. — С шашкой и на танки.

— А вы как думали! Надеялись, что вы меня задушили? Ага, ждите! Русские не сдаются! Сейчас вот водки выпьем. — Он опрокинул рюмку. — Огурцом закусим. — Он захрустел огурцом. — И в атаку.

Он вдруг вскочил и гаркнул на весь дом:

— По зажиревшим олигархам! По заворовавшимся чиновникам! Огонь! Огонь! Огонь!

От неожиданности я выронил вилку. Примерно так он и общался с толпой на улицах, задорно, доходчиво, отчасти по-шутовски. Толпа ему, впрочем, верила.

Он засмеялся, довольный своей шуткой. И опять сел.

— Вам не кажется, что если отличительной чертой олигархов является избыточный вес, то мы с Храповицким скорее, чем вы, сойдем за оголодавший народ? — кисло спросил я.

— Нет! — убежденно покрутил он головой. — Не кажется. Я же каждый день встречаюсь с людьми. Знаю их настроения. Ведь на Сашку Черносбруева только посмотреть — у него на роже все написано. Вор. На лбу. Большими буквами. Сколько я его от прокуратуры спасал! Которую вы же, между прочим, и подсылали. Надеясь меня поймать на чем-нибудь. Не поймали. И не поймаете. К тому же у нас в России не любят предателей, — добавил он деловито. — А он предатель. А я всю жизнь гну одну линию.

— Мне кажется, вы упрощаете, — попытался возразить я. Но он опять перебил.

— А вам вообще со мной не повезло. Потому что я простой парень. И считаю, что на все сложные жизненные вопросы есть простые ответы. Это, кстати, какой-то американский президент сказал. Я на рабочих окраинах вырос. Нас было четверо детей в семье. Жили в бараке. Дрался. Но учился хорошо. Медаль в школе не дали за плохое поведение. На дневное отделение в институт не пошел, надо было родителям помогать. Армия, потом завод. Институт заочно заканчивал.

— Оставьте, Борис Михайлович, — поморщился я. — Все это я читал в ваших листовках.

— Тогда знаешь, что я прошел весь путь — от простого работяги до директора, — продолжил он упрямо. — Мне нечего от людей скрывать. А это, знаешь ли, много для меня значит.

Его агитационный монолог меня несколько утомлял. Я хотел было возразить, что нам всем есть что скрывать, но решил не поддаваться ему и не сбиваться на банальности. Пусть выскажется.

— Мы все когда-то были неплохими ребятами. В советское время. Во что-то верили. С чем-то не соглашались. Воровали маленько, как без этого. Только я остался прежним. Я, видишь ли, знаменам не изменяю. А вы — нет. Вы стали другими. Обзавелись домами, машинами, охраной, любовницами. И вы думаете, вас за это народ любит? — Он посмотрел мне в глаза долгим насмешливым серым взглядом и покачал головой. — Он вас ненавидит. Ненавидит, — повторил он с удовольствием. — Всех вас.

И губернатора, и твоего Храповицкого. Ну, не такой он тупой, наш народ, как вы о нем думаете.

— Он не тупой, — согласился я холодно. — Но жадный. И завистливый. К тому же очень нетерпеливый. А вы призываете его потерпеть еще года четыре. И посмотреть, как нам, его врагам, все эти четыре года будет хорошо жить. С нашими домами и любовницами. А после ему, может быть, тоже станет неплохо. Благодаря вашим усилиям. Но станет ли ему хорошо в результате ваших стараний, обнаружится лишь через четыре года. И народ видит, что вы один, а нас много. А мы говорим, что ему уже завтра будет лучше. Почти так же, как нам. Ну, может быть, чуток похуже. И нужен для этого сущий пустяк. Поставить в бумажке, именуемой избирательным бюллетенем, крестик. Не здесь, а здесь. Напротив этой фамилии. Какая, в сущности, разница? Кулаков или Черносбруев? Главное, что счастье наступит сразу. И подтверждаем свои слова деньгами. Которые даем уже сегодня. Так сказать, авансом. В счет будущей безбедной жизни.

— Но вы же обманываете! — заявил он возмущенно.

— Конечно, — согласился я. — Обманываем. И вы обманываете. Потому что хорошо ему не будет ни завтра, ни через четыре года. Ни даже через сорок лет. А так сладко, как народу хочется, ему, скорее всего, вообще никогда не будет. Ибо есть законы экономики и законы национального характера. Первые вы изучали в институте, пусть и заочно. Вторые вы и так знаете. Потому что, как и я, этим самым национальным характером обладаете. Только я не ссориться с вами приехал, Борис Михайлович. Я здесь, потому что хочу вам помочь.

— Не сомневаюсь, — кивнул он. — Сейчас ты скажешь, что вы готовы не отключать мне свет за мои же деньги. И перестать врать про меня в газетах. А за свою безвозмездную помощь вы с Храповицким не хотите ничего. Ну, разве самую малость. Получить город на разграбление.

— Мы его и так получим. — Я почувствовал, что начинаю раздражаться. — С вами или без вас. А если не получим мы, то его получат другие. Сколько постановлений о выделении земли вы уже подписали, чтобы собрать деньги на избирательную кампанию? Сколько зданий продали? К чему нам морочить друг друга, Борис Михайлович? У кого вы берете деньги? У тех кретинов, которых я видел в вашей приемной? Только не надо меня уверять, что миллионы долларов, необходимые вам сейчас, они дают вам бескорыстно, являясь вашими пылкими обожателями. И борцами с олигархами. Они как-то не очень походят на обнищавший пролетариат. Да и вы, признаюсь, тоже. Или вы полагаете, что если поборами занимаются ваши замы, а не вы лично, то к вам не пристанет? Еще как пристанет! Мэр-то вы. — Видя, что он напрягся, я подождал и продолжил. — И отвечаете за все тоже вы. Ну, допустим даже, Черносбруев проиграет. А вы победите. И что? Это означает лишь, что вас, гордого и неподкупного, окончательно отрежут от областного бюджета. Где вы собираетесь брать деньги для ваших грандиозных социальных программ? У тех же коммерсантов.

Он, наконец, перестал жевать и слушал меня внимательно. Видно было, что ему не терпелось возразить, но он сдерживался.

— Потому что других денег, кроме государственных и частных, в природе не существует, вы уж извините, — говорил я ласково. — А если рассуждать применительно к России, то все частные деньги у нас образуются путем воровства из бюджета. В том числе и вашего. И разница между нами и прочими лишь в том, что у нас этих денег больше. Выражаясь вашими словами, мы уже наворовали. И стали осторожнее. В отличие от тех, с кем сейчас работаете вы. И которые непременно начнут рвать. После вашей победы. Жадно. Тупо. Не заботясь о последствиях. И уж, поверьте, меньше всего думая о вашей незапятнанной репутации. А мы про это будем писать в газетах. И заметьте себе, что писать мы будем правду.

Я думал, что он взорвется. Собственно, именно этого я и добивался. Разговора не получалось. Каждый твердил свое. Эта напряженность в атмосфере действовала мне на нервы. После грозы всегда легче дышать.

Но он не вспылил. Некоторое время он молчал, думал. Потом опять пожевал и кивнул.

— Наверное, в том, что ты говоришь, есть резон, — заметил он. — Но есть и другое. Я не хочу, чтобы мое имя связывали с вами. Не хочу, и все. Вот каприз такой. Я не желаю, чтобы кто-то сказал: Кулаков продался нефтяникам. У меня свои представления о жизни. Ты думаешь, мне много надо? Поверь, гораздо меньше, чем вам. Посмотри, как я живу. А ведь только я мигни, и мне отгрохают особняк не хуже губернаторского. Хоть здесь, хоть на Кипре. Думаешь, я за это место держусь? Да я ни жены, ни детей не вижу. А они, между прочим, обижаются. Ну, не буду я мэром, что я работу себе не найду? Я производство знаю от и до. Чего мне терять? Россия велика. Если бы я хотел жить, как вы, я давно бы себе все это устроил. Правильно ты говоришь: воровать миллионов по десять в год — при тех возможностях, что дает моя должность, это означает скромничать. Да только я не хочу. Не могу, если так тебе понятнее. Не мо-гу! — произнес он по слогам. — Я, конечно, простой мужик. Простой русский мужик. Но у меня есть своя простая мужицкая правда. И от нее я не отойду. Я нутром знаю, что вот так можно, а так — нельзя. И меня легче убить, чем переделать. Меня сюда народ поставил. А не вы. И я народ вам не отдам. А поставит народ другого: Черносбруева или там Храповицкого — это уже его воля. И другая история. И меня она касаться не будет.

Я видел, что он опять полез на митинговую трибуну. Это означало, что дальнейшие переговоры бесполезны.

— И знаешь, что еще, Андрей, — вдруг добавил он с какой-то новой интонацией. — Ты тоже уйдешь от них. Раньше или позже, но уйдешь. Не сможешь. У тебя порода другая. Не волчья.

— Думаете, к вам примкну? — невольно улыбнулся я неожиданному повороту беседы.

— Ко мне не примкнешь, — тоже засмеялся он. — Ниже твоего достоинства. Ты же себя умнее меня считаешь. — Он лукаво подмигнул. — Но и с ними не останешься.

В это время я услышал, как к дому подъехала машина, потом раздались женские голоса, один из которых принадлежал его жене, другой еще кому-то. Я сидел спиной к окну и в отличие от Кулакова не мог видеть, кто приехал и что происходит во дворе. Но заметил, что он сразу подобрался и нахмурился.

— Ну что, поехали? — Он посмотрел на меня, давая понять, что разговор закончен.

Я поднялся, повернулся к выходу и остановился как вкопанный. Ночные глаза обожгли меня взглядом. Мое сердце рухнуло вниз, потом взлетело вверх, потом вообще куда-то пропало. В дверях стояла Наташа.

— Ох! — задохнулась она в радостном удивлении. — Ты!

— Да, — пробормотал я глупо. — Он... То есть я...

— Может быть, ты сначала все-таки поздороваешься? — без особого дружелюбия спросил у нее Кулаков. Он, оказывается, был здесь. Я, признаюсь, как-то забыл.

— Привет, — машинально ответила она ему, не сводя с меня взгляда. — Я из института на минутку заскочила. Мне кое-что надо забрать.

Я тоже не мог от нее оторваться, понимая, насколько нелепо и неприлично себя веду. Но я был счастлив видеть ее и счастлив вдвойне ее счастьем.

— Вы, кажется, знакомы, — проговорил Кулаков, вставая. Он как-то переменился. Былая оживленность улетучилась. Он сделался напряжен и мрачен.

— Да, мы виделись, — туманно пояснил я, бросив на него торопливый взгляд. — Только я не знал...

— А теперь знаешь, — перебила она. — Надеюсь, это ничего не меняет?

А что это могло изменить? Что вообще могло что-нибудь изменить между ней и мной?

— Я, пожалуй, поеду, — отрывисто сказал Кулаков. — Мне пора. Ты оставайся, если хочешь.

Он сунул мне руку, торопливо пожал ее и вышел, прежде чем я успел что-то ответить. Через секунду ее губы уже обмирали в моих губах. Я куда-то плыл, шальной и пьяный, и меня качало.

— Постой. — Она, наконец, чуть отстранилась. — Да погоди же, сейчас мама войдет...

Я хотел взять себя в руки, но они, как назло, были заняты ею и никак меня не слушались.

— Не надо мамы, — пробормотал я. — Пусть не входит...

И опять поплыл.

3

Через некоторое время я обнаружил себя в том же месте нервно вышагивающим назад и вперед, уже в одиночестве. Что, видимо, означало ее скорое возвращение. В противном случае зачем было расставаться?

С Кулаковым, конечно, получилось чрезвычайно неловко, но я надеялся, что со временем это как-нибудь само собой утрясется. Я дал себе слово впредь лучше контролировать свои эмоции. А может быть, даже бросить курить.

Свои эмоции я честно контролировал минут сорок. А потом она опять появилась. В коротком голубом платье, в длинном белом расстегнутом пальто и в белых сапогах на высоком каблуке. Черные блестящие волосы, черные сияющие глаза, яркий рот и эта, сводившая меня с ума, плавность легкой фигуры.

— Я готова, — объявила она, радуясь восхищению в моих глазах, которое никогда не спрячешь от женщин. Я почему-то ощутил себя слегка пристыженным, как будто подсмотрели мой секрет.

— Я лучше не буду подходить, — ворчливо сообщил я не то ей, не то самому себе. — А то опять мама войдет...

Она засмеялась.

— Только давай поедем на моей машине, — объявила она. — Боюсь, что в твоем нынешнем состоянии за рулем ты опасен.

Мы вышли на улицу и забрались в ее ярко-желтый «хендай».

— В прошлый раз ты была без машины, — заметил я, когда мы тронулись в сопровождении моей охраны.

— Я стараюсь не садиться за руль, если предстоит пить, — отозвалась она, трогаясь с места. — Каждый раз приходится объяснять милиции, кто я такая. А я это не люблю. Вообще не могу терпеть любую зависимость. Я хочу жить своей жизнью. И чтобы она никому не принадлежала.

— Получается? — спросил я с тревогой. Мне почему-то очень хотелось, чтобы теперь она зависела от меня. Во всем. И чтобы ее жизнь принадлежала тому же человеку, от которого она зависела.

— Ты же отлично знаешь, что нет, — ответила она с иронией. — Я живу в квартире, которую устроил мне отчим, езжу на купленной им машине и трачу его деньги. Даже не знаю, на кого я за это сержусь больше: на него или на себя.

— Догадываюсь, что на него.

— Ну да. Наверное. Потому что, ко всему прочему, ему я еще должна быть благодарна. Хотя в последнее время наши отношения чуть потеплели. Раньше было хуже. Я даже на тот вечер в «Потенциал» пошла по его приглашению с единственной целью — посмотреть на его врагов в полном составе. Из чувства семейной солидарности.

— Значит, Кулаков твой отчим? — Я уже несколько минут не смотрел на нее и начал приходить в себя.

— Ну да. Представь себе, мэр нашего города — мой отчим. Муж моей мамы. Теперь ты на мне женишься?

— Мне жена не разрешает жениться на всех, кто мне нравится, — ответил я машинально.

— А спать с ними она тебе разрешает? — спросила она ядовито.

— Если ты помнишь, я и не сплю, — ответил я, чувствуя прилив гордости за свой нечеловеческий подвиг в понедельник.

Она улыбнулась.

— Кстати, почему ты не спрашиваешь, куда мы едем?

— Что значит «куда»? — удивился я. — Ко мне, конечно. — Но, вспомнив про ее стремление к независимости, поспешно добавил: — Но если ты настаиваешь, то можно к тебе.

— Только не ко мне, — возразила она. — Дома я люблю быть одна.

Я считал, что для меня можно было сделать исключение, и немного обиделся. Между тем мы остановились возле какого-то полуподвального кафе. Здесь было бы мило, если бы не ревущая музыка, без которой в провинции люди не представляют себе процесс пищеварения. Кафе было забито молодежью: студенты, продавщицы и скучающий женский элемент. Очевидно, они не испытывали потребности в общении, поскольку из-за оглушительной какофонии звуков невозможно было разобрать не только голоса, но и собственные мысли.

Мы нашли свободный столик в углу. Во взгляде Гоши, который нас провожал, я прочитал недоумение. Он не понимал, что двое столь изысканных мужчин, как он и я, делают в таком гадюшнике.

— Под такую музыку гвозди сами заколачиваются, — прокричал я Наташе. — Молотка не надо.

Она подозвала официанта и знаками попросила сделать потише. Видимо, ее здесь знали, поскольку он немедленно побежал исполнять указание.

— А мне нравится, — сказала она, с удовольствием оглядываясь кругом. — Шумно. Весело.

Она, как в прошлый раз, заказала мартини, и я не стал менять традиций, ограничившись минеральной водой. У меня зазвонил мобильный телефон.

— Але, — услышал я приглушенный мужской голос. — Это я. Не узнаешь?

Я не являюсь сторонником этой распространенной у нас формы приветствия.

— Узнаю, — обрадовался я. — Вчера в ресторане вы по ошибке ушли в моем пальто. Там, в кармане, было еще пять тысяч долларов...

— Ты что, обалдел? — Мой собеседник на другом конце провода даже поперхнулся. — Какое пальто? Да это я! Плохиш!

— А что, пальто уже нет? — продолжал допытываться я. — Но деньги-то хоть остались?

До него, наконец, дошло.

— Разыгрываешь, — мрачно сказал он. — У меня разговор к тебе есть. Срочный. Ты где сейчас?

— Я вообще-то сейчас не один, — попытался объяснить я, забывая, что бандиты еще нетерпеливее, чем женщины.

— Да ты всегда не один, — заметил Плохиш, в число достоинств которого деликатность не входила. — Куда тебе столько баб! Мне всего две минуты надо.

— Ладно, — сдался я. — Приезжай. — И назвал адрес.

— Кого ждем? — спросила Наташа, когда я сунул телефон в сумку.

— Приятеля. Извини, пожалуйста. Но он ненадолго, — успокоил я.

Плохиш появился минут через пятнадцать. Он вошел в кафе в сопровождении четырех охранников и остановился посредине, ища меня взглядом. Потом подошел к нашему столику, хмуро кивнул Наташе и пожал мне руку.

— Как это тебя в такую тошниловку занесло? — спросил он, неодобрительно оглядываясь. — Пойдем на улицу, поговорим.

— Я скоро вернусь, — пообещал я, вставая.

— Я дождусь, не волнуйся. — Она погладила меня по руке.

Мы вышли наружу.

— Давай сядем ко мне в машину, — предложил Плохиш. — Чего торчать у всех на виду.

Мы забрались на заднее сиденье его джипа, откуда он предварительно шугнул охранника.

— Вечно вы с Храповицким лучших телок расхватываете, — недовольно заметил он, закуривая. — А нам всякая шняга достается. Что они только в вас находят?

— То, чего не находят в вас.

— Хочешь сказать, платим мало? — почесал затылок Плохиш. — Может, и правда мало. Да где взять-то? Косяк будешь?

Я поблагодарил и отказался.

— Короче, дело такое, — начал он. — Пономарь с Виктором сунулись в Нижнеуральск. Ну, ты уже понял. Ильича при этом не спросили. Храповицкого тоже.

Я кивком подтвердил свою догадливость.

— Меня, между прочим, в долю не позвали, — обиженно продолжал он, надувая свои пухлые щеки.

— Может быть, думали, что у тебя просто нет таких денег? — предположил я.

— А при чем тут деньги? — возмутился Плохиш. — Не все, кстати, деньгами меряется!

— С каких это пор ты об этом задумался? — поинтересовался я.

— Да я всегда это говорил! — заявил Плохиш убежденно. — А дружба, по-твоему, ничего не стоит? Значит, на «стрелках» шкурой рисковать должен я. А бабки достанутся Виктору с Пономарем. Ты считаешь, это справедливо?

Учитывая сравнительно невысокую стоимость шкуры Плохиша, я считал, что это справедливо. Но свое мнение высказывать не стал. В конце концов, как гражданин свободной страны, он имел право на собственное суждение.

— Война будет, — сообщил Плохиш обреченно. Его маленькие глазки забегали. — Точно говорю. Пономарь полез на рожон. Ильич это так не оставит. А я не хочу, чтобы меня пристрелили из-за Виктора. Он-то свалит куда-нибудь годика на три. У него бабок — море. А я, значит, должен валяться на улице с пулей в башке? Как собака? — В голосе Плохиша зазвучала жалость к себе. Он не хотел валяться как собака. Он хотел валяться как человек. И без пули в башке.

— Ты достоин лучшей участи, — попытался утешить его я.

— Тебе легко смеяться! — огрызнулся он.

— Что ты предлагаешь?

Он бросил на меня косой настороженный взгляд и заерзал.

— У тебя как сейчас с Храповицким? Нормально?

— Не знаю, что ты имеешь в виду, но живем мы порознь.

— Хватит острить, я серьезно. Скажи ему, я решу вопрос с Виктором. Ты понял как? У них же все равно проблемы между собой. Виктор на Храповицкого зубы точит, я точно знаю. А если Виктора убрать, то все решается само собой. И Храповицкий еще получает его долю. Только это дорого стоит. Мне же нужно будет потом уехать. Меньше, чем на три миллиона, я не согласен. И еще людям заплатить. Тысяч пятьсот. Для Храповицкого это копейки. Он в десять раз больше получит. Согласен?

— С тем, что Храповицкий больше получит? — уточнил я.

— Да это и так понятно, — нетерпеливо поморщился Плохиш. — С тем, что я нормальный вариант предлагаю. Поговоришь с ним?

— А почему бы тебе не поговорить самому? — поинтересовался я. — Зачем в таких вопросах посредник?

— У нас не те отношения, — ответил Плохиш. — Он мне не доверяет. А вы с ним друзья. Это все знают. Учти, если он этого не сделает, Виктор сам его закажет. А может, уже заказал.

4

— А я и не знала, что ты общаешься с бандитами, — сказала Наташа, когда я вернулся.

— Он вообще-то интеллигентный человек, — ответил я. — Физик-теоретик. Просто сегодня ночевал в лаборатории, не выспался и выглядит неважно.

— Рассказывай, — засмеялась она. — Я бандитов за километр вижу. Между прочим, я к ним совсем неплохо отношусь. Лучше, чем к чиновникам. — Она состроила презрительную гримасу. — Не люблю, когда врут. Вообще плохо переношу фальшь. Бандиты, по крайней мере, открыто нарушают закон. И не рассказывают тебе тошнотворных историй о том, как они бескорыстно служат народу. — В ее словах мне послышался отголосок семейных обид.

— За что ты его так не любишь? — спросил я, не называя Кулакова по имени.

Она пожала плечами и откинула волосы.

— Я отца своего люблю, — ответила она просто. — Понимаю, что не вправе вмешиваться в жизнь родителей, и все такое. Но мне жаль, что у них с мамой не сложилось. По его, конечно, вине. Она тоже когда-то его очень любила. Он преподавал в университете. Пил. Изменял ей со студентками. Они ведь никогда не были женаты. Она долго терпела. А потом встретила отчима. Такого образцово-добропорядочного. Она работала инженером на заводе, а он был каким-то начальником. Он долго за ней ухаживал. Года полтора. И она согласилась. Мне было пять лет, и он меня удочерил. Представляешь? То есть по документам он мне отец. По сравнению с моим родным отцом он казался маме настоящим мужчиной. Таким, знаешь, надежным. Женщины ведь больше всего, в конечном счете, ценят надежность. Хотя влюбляются, конечно, в негодяев. Вроде тебя. Не сердись, это я к слову. Ну вот. А потом выяснилось, что мы все принадлежим ему. Отчиму. Что мы его собственность. Что мама должна уволиться с работы и сидеть с детьми. А я должна отлично учиться и приходить домой в десять часов. Потому что его все знают. И мы должны дорожить его славным именем, которое носим. А уж когда его выбрали мэром, стало совсем невыносимо.

— И ты взбунтовалась?

— Говорю тебе, это был кошмар! Я вдруг поняла, что его ненавижу! Мы каждый день ссорились. Я хотела жить своей жизнью. Как мои подруги. Как все вокруг. Ходить в ночные клубы, встречаться с тем, кто мне нравится, а не кто нравится ему. Все это, конечно, детская чушь, но я хотела быть уверенной, что тот, кого я выберу, будет со мной ради меня, а не потому, что у меня папа мэр города. Короче, после долгих и утомительных сцен решено было купить мне отдельную квартиру и дать мне свободу. А заодно избавить моего брата Петю от моего пагубного влияния. А с отцом я и сейчас встречаюсь. Он слабый. Иногда занимает у меня деньги. Но он очень тонкий. И он страдает, хотя и старается это скрывать. Он до сих пор любит маму.

Она замолчала. Я хотел сказать что-то утешительное, но она вдруг улыбнулась и добавила:

— Хотя я совершенно уверена, что если бы вдруг случилось что-то фантастическое и она вновь к нему вернулась, чего я, честное слово, сейчас совсем не хочу, он опять бы ей изменял. Впрочем, хватит на эту тему. Какие у нас планы на сегодняшний вечер?

Ответ был понятен обоим. И все-таки я на секунду замешкался. Я не хотел повторять сделанную однажды глупость. Но еще меньше я хотел совершать то, что не смог бы потом исправить.

— У тебя дела? — спросила она понимающе.

— Да нет, — замялся я. Я взглянул в ее ночные глаза и опять выпал из времени и пространства. — Нет у меня никаких дел. Кстати, я не женат.

— Зачем ты мне об этом говоришь? — удивленно подняла она брови.

— Я и сам не знаю. — Я и вправду не знал. Точнее, догадывался. С ужасом. Я делал отчаянные попытки удержаться на краю. Я даже отвел взгляд.

— Я постараюсь тебе кое-то объяснить, — услышал я свой чужой голос. — Если, конечно, смогу. Потому что я

133

сам не очень понимаю, что происходит. Если мы сейчас поедем ко мне, то ты не уедешь завтра. Потому что я тебя не отпущу. Потому что я хочу видеть твое лицо на своей подушке. Вечером и утром. А я... так не привык. Я всегда жил как хотел, как считал нужным. И я не знаю, как ты примешь меня со всеми моими... привычками. И от каких из них мне предстоит отказаться. Потому что, если ты уйдешь от меня завтра, это будет катастрофа. Может быть, я не вполне ко всему этому готов, как выражаются женщины. Но я боюсь потерять все это. Чего у меня так давно не было. И я счастлив, что это появилось, — добавил я непоследовательно.

— Ты серьезно говоришь? — недоверчиво спросила она. Ее глаза округлились и стали как у кошки. Совсем огромными.

Я кивнул.

— И все дело только в этом? Нет никакой другой причины?

Я решительно затряс головой.

— У тебя нет постоянной женщины? К которой ты поедешь сейчас? И с которой мне предстоят мучительные женские разговоры?

— До этой минуты не было.

— То есть в первый раз ты мне отказал, потому что боялся разочароваться, а сейчас отказываешь, потому что, наоборот, боишься очароваться всерьез? Ты, кстати, помнишь, что отказываешь мне уже во второй раз?

— Я не отказываю, — смутился я.

— Смотри-ка, ты покраснел! — воскликнула она в восторге. — Вот уж не ожидала!

Она обняла меня и поцеловала в щеку. Скорее даже коснулась щеки губами.

— Конечно, ты извращенец, — прошептала она, чему-то радуясь и по-прежнему обнимая меня. — И к тому же грубиян. Два раза подряд отказывать девушке — это же хамство. Я никогда тебе этого не прощу. Потому что я тоже... — ты понимаешь, что я хочу сказать?

— Нет, — ответил я, ликуя. Я догадывался, но мне хотелось, чтобы она сказала это сама.

Она наклонилась к моему уху совсем близко:

— Потому что я тоже в тебя влюблена. И я потом никогда от тебя не уйду. Не надейся.

Она отодвинулась, порылась в сумочке, достала ручку, вырвала листок из блокнота и записала номер телефона.

— Позвони мне, хорошо? Иначе я сама начну тебе названивать.

— Завтра, — сказал я. — Я позвоню тебе завтра. Пять раз.

— Семь, — ответила она. — Ты же не хочешь, чтобы я умерла.

Она опять осторожно коснулась меня губами, поднялась и вышла, улыбаясь.

Если вы знаете аптеку, где продаются таблетки от внезапных приступов острого помешательства, дайте мне, пожалуйста, адрес.

ГЛАВА СЕДЬМАЯ

1

В четверг я лег влюбленным и счастливым. А когда встал утром в пятницу, то к этим двум ощущениям добавилось еще чувство вины перед мирозданием. Как будто мироздание ждало, что я спасу его в эту ночь. А я взял да и не спас.

Я решил, что перед тем как забирать сына на новогодние каникулы, я пошлю мужу своей бывшей жены открытку и пожелаю ему долгожданного повышения по службе. И счастья в его поганой личной жизни.

К восьми, когда я завязывал галстук, я продвинулся еще дальше по пути стремительного самосовершенствования и твердо отказался от давно вынашиваемого замысла по затаскиванию в постель Лены из приемной Храповицкого. В конце концов, она была секретарем моего начальника. И, согласитесь, Храповицкий, и так немало от меня претерпевший, имел полное право сам насладиться ее голым видом. В огромных очках. Вместо того чтобы довольствоваться моим лишенным художественности пересказом.

А в половине девятого позвонил Черносбруев.

— Ты не спишь? Срочно приезжай ко мне в штаб! — Он кричал так, что я отодвинул трубку подальше. — Тут такое творится! Весь город на ушах стоит. Конец Кулаку!

За последние пару месяцев я уже привык к тому, что конец Кулакову наступал с завидной регулярностью — не реже раза в неделю. Но на сей раз, судя по его тону, и впрямь случилось что-то из ряда вон выходящее.

Когда я вошел, он только что не скакал по своему кабинету, охваченный радостным возбуждением.

— Ты знаешь Синего? Бандита такого? Слышал? — бросился он ко мне, забыв поздороваться.

Я знал Синего. Бандита такого. Слышал.

— Зарезали. Сегодня ночью. На пустыре, возле его дома. А теперь гляди, что менты нашли у него в квартире во время обыска!

Он перекинул мне через стол пачку листов.

— Ты знаешь, кто на этих фотографиях?

Я взглянул, и комната поплыла перед моими глазами. Меня вдруг начало знобить, и во рту появился странный металлический привкус.

Я знал, кто на этих фотографиях.

Собственно, это были не фотографии, а их черно-белые копии, ужасного качества, выполненные на ксероксе. Но дикий их смысл был понятен сразу.

Все они были исполнены отвратительного грубого похабства, из тех, что принято называть порнографическими. На них была совокупляющаяся пара. Менялись позы, но не персонажи.

Фотографировали себя сами. Видимо, это делал мужчина, через зеркало, и позаботился о том, чтобы его лица не было видно. Когда этого нельзя было избежать, он надевал черные очки и шляпу. Судя по всему, это был Синий.

А с ним на снимках была Наташа. Лицо на этих смазанных ксерокопиях было почти неразличимо, но по бешеным ударам своего сердца я знал, что это она.

— Кулаковская дочка, — доносился до меня из тумана торжествующий голос Черносбруева. — Которую ты защищал. Видал, что со своим бандитом вытворяла. Ее один из ментов опознал, случайно. Ну и сообщил начальнику. Тот — начальнику районного отделения. А тот — в прокуратуру. Короче, сам понимаешь, что началось. Уже под утро начальник моего района отыскал меня. Сами фотографии он мне дать, конечно, не мог. Вещественные доказательства. А копии закинул. Жаль, конечно, что качество плохое. Но ребята говорят, и так получится.

— Что получится? — машинально спросил я.

— Да в газетах опубликовать. Она же сейчас тоже под подозрением. Ее будут допрашивать. Синий-то теперь с другой девкой жил. Какой-то фотомоделью. Между прочим, из вашего с Храповицким театра. Не знаешь ее? Так что, может, это кулаковская дочка его и порезала. На почве ревности.

— Вы не станете их публиковать, — произнес я каким-то скрипучим голосом.

— То есть как это не стану? — возмутился он. — Еще как стану! Во всех газетах. Я уже губернатору звонил. Он сказал, что даст приказ. Кулак этого не переживет.

— Вы не сделаете этого, — повторил я упрямо.

— Да я тебя даже спрашивать не стану!

Я сгреб листки со стола и скомкал их в руке. Он не двинулся с места.

— Бери, у меня их полно, — торжествующе объявил он. — Могу еще дать. В субботние номера, жалко, не успеваем, их, оказывается, за два дня верстают. А в понедельник ни одна газета не выходит. Ничего, во вторник почитаем.

Я встал, швырнул измятые снимки на пол и, не попрощавшись, вышел из кабинета, хлопнув дверью.

2

— Что-то не так? — озабоченно спросил у меня Гоша, когда мы сели в машину.

— Все в порядке, — ответил я, пытаясь собраться с мыслями.

— У вас телефон звонит...

Я как-то не заметил.

— Андрей, это ты? — Незнакомый мне женский голос звучал сдавленно и, как мне показалось, испуганно. — Это Света Кружилина. Нужно срочно увидеться.

— Ты где?

— Меня только что отпустили из милиции. Я звоню из автомата с Советской площади. Ты можешь сюда приехать?

Судя по голосу, она была между истерикой и обмороком.

— Уже еду, — ответил я коротко.

Советская площадь находилась в центре, и дорога туда заняла у меня не больше пяти минут. Света бросилась к моей машине, едва не угодив под колеса. Я не заметил, откуда она выскочила. Может быть, она ждала меня в будке автомата. Гоша захлопнул за ней дверцу, а сам пересел в машину сопровождения.

— Меня всю ночь допрашивали! — выпалила она вместо приветствия. — Я сказала, что ничего не знаю! В доме все перерыли. Они, наверное, прослушивают мой телефон. Они следят за мной. Они убьют меня! Что мне делать? Что мне делать, скажи?!

Она вцепилась в мою руку ледяными пальцами. Лицо ее было бледным и осунувшимся. Глаза — заплаканными и опухшими. Губы дрожали, и она кусала их, чтобы не разрыдаться. Передо мной был насмерть перепуганный зверек. Мне показалось, она сжалась и стала меньше ростом.

— Успокойся. Зачем кому-то тебя убивать?

— Да ты что? Не понимаешь, кто это сделал? — Она сорвалась на крик. — Это же Лисецкий! Это он, гад последний! Он мстит мне за то, что я тогда не осталась. Это он приказал!

До сих пор у меня не было времени подумать об убийстве. Ее слова застали меня врасплох.

— Как его убили?

— Не знаю! Откуда я знаю! Мне же не сообщали никаких подробностей. Зарезали. В его собственной машине! Рядом с домом. Это Лисецкий подослал! Меня менты всю ночь спрашивали про его дела. При чем тут его дела? Из дома все забрали: деньги, ценности. У меня ни копейки. Мне надо где-то спрятаться!

— Прежде всего тебе надо прийти в себя. Ты не в том состоянии, чтобы принимать решения. — До сих пор я ехал, не разбирая дороги. Но ее испуг привел меня в чувство. Хотя бы одному из двоих пора было трезветь. — Сейчас мы поедем ко мне, там, по крайней мере, тебя никто не будет искать.

У меня опять зазвонил телефон. На сей раз это был Храповицкий.

— Я скоро буду, извини. Не могу говорить, — скороговоркой произнес я и положил трубку.

— Кто это? Меня ищут? — перепуганно спросила она. — Ты им не скажешь?

— Да перестань, ради бога! — повысил я голос.

Она замолчала и забилась в угол машины.

Дома я заставил ее принять душ, выпить немного коньяка и чашку крепкого кофе.

С тех пор как я забрал ее с площади, прошло минут тридцать. Мой телефон зазвонил вновь. Это опять был Храповицкий.

— Ты что, издеваешься надо мной? — ядовито начал он.

— Я уже еду! Еду! Потом все объясню. — Я опять положил трубку.

— Почему ты думаешь, что это сделал губернатор? — спросил я Свету. Ее лицо чуть порозовело. Она стала приходить в себя.

— А кто же еще! Кому, кроме него, это было нужно делать сейчас? Он же не воевал ни с кем!

И она, наконец, разрыдалась. Плакала она тяжело и надрывно. Видимо, накопившееся в ней за эти часы напряжение искало выхода и выплеснулось. Я не пытался ее успокаивать, надеясь, что слезы принесут ей облегчение.

— Гад проклятый! — речитативом повторяла она, всхлипывая. — Человека убил. Всю жизнь мне сломал.

Через несколько минут ее мысли внезапно приняли новое направление.

— Я ему отомщу! Пусть что хочет со мной делает! Глаза ее зажглись ненавистью. — Я все расскажу. Я в Москву поеду, в Генпрокуратуру. У меня тетка в Москве живет. Я журналистам интервью дам. Здесь побоятся, а в Москве напишут!

Сейчас она уже больше походила на себя. Я поднялся.

— Мне пора ехать. Меня ждут на работе. Я оставлю тебе охранника с машиной. Он перевезет тебя отсюда на одну квартиру. Это моя квартира. Я давно там не живу, но все необходимое там есть. Два раза в неделю туда приходит домработница. Вот деньги. Купите какой-нибудь еды по дороге. Если что, звони мне оттуда с домашнего телефона. Сегодня я, наверное, не смогу появиться: занят допоздна, да и тебе лучше выспаться. А завтра с утра я тебе позвоню. Трубку можешь брать смело, потому что, кроме меня, туда звонить некому.

Я потрепал ее по плечу, погладил по голове и вышел, оставив с ней Николая, на которого в этом случае можно было положиться.

3

В кабинете у Храповицкого сидел Савицкий.

— Где тебя носит! — закричал Храповицкий раздраженно, едва я открыл дверь. — Сроду тебя не найти, когда ты нужен! Ты слышал, что творится? Мне уже позвонил весь город, включая губернатора. Похоже, Кулакову пора сливать воду. Предупреждали дурака. Надо было с нами договариваться. Егорка только что не прыгает от восторга. Кстати, что там у тебя с Черносбруевым?

— Я, пожалуй, пойду, — деликатно кашлянул Савицкий, поднимаясь.

— Да, я вас вызову. Так за что же ты обидел нашего бедного мальчика? — По блеску в глазах Храповицкого, по отрывистому тону и быстрым движениям я видел, что он горит охотничьим азартом. Он чувствовал близость последнего выстрела. Он слышал запах крови, спешил по следу и готовился добивать. Я по опыту знал, что переубедить его в таком состоянии невозможно. Зато вывести из себя ничего не стоит.

Я попробовал сосредоточиться и зайти с фланга.

— Володя, а ты не думаешь, что Синего убили по приказу губернатора? — спросил я вкрадчиво.

— Егорка? Заказал Синего? Ты серьезно? — Храповицкий посмотрел на меня с веселым недоумением.

— А что тут невероятного? Он же пообещал...

— Да. В среду. А в четверг ночью Синего уже не стало. Ни один человек не провернет такое за сутки. Бандитов у него в близком окружении нет. Отдать такой приказ ментам он никогда не решится. Да брось ты! Мы оба знаем Егорку. Он хвастун, павлин. Воровать, выпендриваться, на подчиненных ужас наводить — это в его характере. Но отдать приказ об убийстве? Да никогда! Разговаривая со мной по телефону, он радовался как ребенок. Двух зайцев одним ударом! Человек, который только что убил, так себя не ведет.

— Но кто-то же Синего убил! — настаивал я.

— Андрей, он бандит, — внушительно произнес Храповицкий. — Точнее, был бандитом. Потому что сейчас он всего лишь бездыханный труп. Он с кем-то враждовал, у кого-то что-то отнимал, в кого-то стрелял. Вся его жизнь — война. Рано или поздно они все так кончают.

— А что говорит Савицкий?

— Савицкий говорит, что тело нашла какая-то парочка. Возвращались домой из ночного клуба. На машине. Как водится, пьяные. Заехали на пустырь, возле новостроек. Зачем — не говорят. Надо думать, чтобы заняться любовью. Сначала увидели джип с выключенными фарами. Очень удивились, потому что такие машины на пустырях не бросают. Подобрались поближе и чуть не наехали на тело. Два ножевых ранения: в живот и в сердце. Одно смертельное. Скончался на месте. Следов не обнаружено. Опросили всех в округе. Вроде бы кто-то видел часов в двенадцать какую-то машину. Кажется, «девяносто девятую». Номеров, естественно, не запомнили. Типичное заказное убийство. Бандитские разборки.

— Не типичное! — не сдавался я. — Бандиты обычно стреляют.

— Бандиты убивают, — веско возразил Храповицкий. — И делают это по-разному. Следов драки нет. Это означает, что он знал человека, с которым встречался. И не опасался его. Свою братву он с собой не взял, хотя обычно они только что не спят скопом. То есть доверие было полным. Явно это кто-то из своих. Да и какое нам, строго говоря, дело? Сейчас это уже не важно. Важно, что будет с Кулаковым. А что с ним будет, мы оба знаем.

— А если это Пономарь? — Я был в отчаянии и цеплялся за все, что подвернется под руку.

— Исключено. — Храповицкий уверенно покачал головой. — Пономарю после ссоры на «стрелке» нужно ехать к Ильичу и о чем-то договариваться. Я, кстати, изучил все документы по этой сделке с азотным заводом, мне Савицкий их добыл. Там очень любопытная картина получается. Но об этом потом. Короче, Пономарь не стал бы так действовать. Ни по бизнесу, ни из мести. Побоялся бы. Да и любой бы побоялся. Все-таки это Ильич. К тому же Синий ни за что бы не подпустил к себе людей Пономаря. Но даже если это Пономарь, хотя, заметь себе, я не верю в это ни секунды. Но пусть это Пономарь. Что это меняет для нас?

— Значит, ты твердо настроен публиковать эти фотографии? — спросил я напрямую.

— Если враг не сдается, его уничтожают, — жестко усмехнулся Храповицкий. Его черные глаза недобро блеснули. — А фотографии, кстати, занятные.

Я только сейчас заметил, что перед ним лежат те же ксерокопированные снимки, которые я видел у Черносбруева.

— Качество отвратительное, — вздохнул Храповицкий. — Ничего не разобрать. Девочку, главное, не видно. Но, похоже, что очень даже интересная. Я бы, пожалуй, не отказался.

Я понимал, что остановить его не в моих силах. У меня оставался последний шанс.

— Володя, — попросил я. — А можно их не публиковать? Ради нашей дружбы?

— Не понял? — Он уставился на меня в искреннем недоумении.

— Я был с ней, — ответил я еле слышно.

— Ну и что из этого? — Он развеселился. — По моим скромным подсчетам, ты был с половиной нашего города и с третью всей области. Поправь меня, если я занижаю цифры. Мне никогда не приходило в голову, что ты помнишь их всех поименно.

У меня зазвонил телефон. Я даже не успел попросить перезвонить попозже. Потому что это была мама. Моя родная мама с ее удивительной способностью вторгаться в мою жизнь в самый подходящий момент.

— Андрей, мы с отцом ждем тебя завтра на обед, — заговорила она не терпящим возражения тоном. — Я приготовлю твои любимые пирожки с рыбой. Но вообще я должна сказать, что удивлена твоим поведением. В последнее время...

— Мама! — закричал я из последних сил. — Ты во всем права! Я живу не так, сплю не с теми, борюсь не за то. Я исправлюсь. Но я всегда ненавидел твои пирожки!

Я бросил телефон на стол и поднял измученный взгляд на Храповицкого. Он смотрел на меня с нескрываемым любопытством во все глаза, как на диковинное животное.

— Здорово же тебя с этой девчонкой прихватило, — сказал он с чем-то похожим на сочувствие.

— Володя, тут другое. Ты понимаешь?

— Не то чтобы понимаю, — вздохнул он. — Но, кажется, догадываюсь. Не думал, что ты способен. Что ж, рад за тебя. Завидую. Или, наоборот, сочувствую. Но изменить ничего не могу. Тут не я решаю.

— А кто же тогда? Губернатор?!

— Не кричи, — заметил он спокойно. — Губернатор, конечно, главнее меня. И я в любом случае подчинился бы его решению, даже если бы был с ним не согласен. В таких вопросах не может быть своеволия, я твержу тебе об этом постоянно. Но тут дело даже не в губернаторе. Тут все решают деньги. Очень большие деньги. Здесь другие ставки. И ты, со своими эмоциями, и даже я, со всеми своими возможностями, всего лишь фигуры в подобных играх. Ты мне друг. И если потребуется, то для спасения твоей жизни я рискну своей. Но я не ударю сейчас палец о палец, чтобы что-то изменить. У генерала есть право бросить в жерло войны сотни лейтенантов. Иначе не выиграть сражения. Считай, что тебе не повезло. Ты переспал не с той девочкой. Или, наоборот, повезло. Потому что если сейчас ты научишься жертвовать второстепенным, то со временем и сам сможешь стать генералом. А не научишься — рано или поздно пожертвуют тобой.

Телефон опять напомнил о себе.

— Мама, — сказал я устало, — я прошу прощения. Я не могу сейчас разговаривать. У меня важная встреча.

— Это Кулаков, — услышал я в трубке. — Как освободишься, приезжай. Надо поговорить. Я на месте. Жду.

В трубке послышались гудки.

— Это Кулаков, — повторил я Храповицкому.

— Есть! — выкрикнул Храповицкий, торжествуя, ударив себя рукой по бедру. Он даже вскочил с места. — Готов! Я так и знал! Я все ждал, с кем же он начнет торговаться. Встречи просит?

— Да, — кивнул я. — Он ждет меня у себя.

— Езжай. — Храповицкий опустился в кресло, потянулся с мрачным удовлетворением, как после тяжелой работы. И добавил: — Передай ему, что процесс может остановить только одно. Это полная и безоговорочная капитуляция. Не позднее понедельника он должен снять свою кандидатуру с выборов.

4

— Значит, они хотят, чтобы я снял свою кандидатуру? — с трудом выговорил Кулаков. — Иначе они напечатают всю эту грязь.

Он бесформенным грузным мешком сидел в кресле, сгорбившись и подавшись вперед. Сейчас он не походил на медведя. Он вообще ни на что не походил. Лицо его было землистого цвета. Руки дергались и не находили себе покоя.

— Да, — подтвердил я. — Я ничего не могу с этим поделать.

Мы сидели с ним вдвоем в мэрии, в его кабинете, который сейчас казался пустым и огромным.

— Черт! — взорвался он и с размаху обрушил кулаки на стол. — Ну можно было устроить все это скотство хотя бы не сейчас?!

Видимо, этот упрек он адресовал Наташе. Что до меня, то я бы и вовсе обошелся без этого скотства. Но говорить об этом было уже бесполезно.

— Скорее всего, это случилось раньше. Может быть, намного раньше, — сказал я. Это мало что меняло. И для него и даже для меня. Все равно что не смотреть на рану в надежде, что она перестанет болеть. — Просто всплыло сейчас.

— Ладно, — сказал он тяжело. — Собственно, я уже принял решение. Как только увидел эти фотографии. Поэтому тебе и позвонил. А не потому, что собираюсь торговаться. — Он помолчал, собираясь с духом. — Я ухожу. Можешь им передать. Снимаю свою кандидатуру и ухожу из политики.

Я испытал не то разочарование, не то раздражение. Скорее всего, и то и другое.

— Быстро же вы сдались...

Он посмотрел на меня невидящим взглядом.

— Отвечать надо за свои грехи, — не спеша сказал он. — Рано или поздно. А винить я могу только себя. Ты вот подумай: это ж как девчонка должна ненавидеть меня, чтобы пойти на такое?

Он говорил, как будто рассуждая вслух.

— А вдруг это любовь? — криво усмехнулся я. Я не знаю, кого я травил: его или себя.

— Да нет, не любовь. Потому что делать — это одно. Это никого не касается. Как говорится, двоим любо, третий не суйся. А фотографироваться — это другое. Это — уже напоказ. Чтоб третий увидел.

Он опять помолчал.

— Когда у нас с ее матерью начиналось, я ведь думал, что хорошим отцом ей буду. Я мать ее очень любил. Люблю, — поправился он. — А видишь, как получилось. Ни отца, ни мужа из меня не вышло. Все работа съела. Одна работа с утра до ночи. А что такое работа? Да нет, ничего. Одна наша выдумка! И у дворника, и у президента работы одинаково. Ни больше ни меньше. Кто заставляет нас работать круглосуточно? Только мы сами. Потому что нам так надо. Нам, и никому другому. Значит, так мы устроены, что это нам интересно и важно. Важнее, чем жена и дети. И любим-то мы их по-своему, а не так, как им хочется. Как им нужно. Им нужно, чтобы мы рядом были. А мы на работе.

— Есть и другая сторона, — возразил я. — Они ведь нас полюбили, а не других. Такими, какие мы есть. Если, конечно, полюбили. И мы не притворялись.

— Тоже правильно, — равнодушно согласился он. — Но ее мать-то свой, так сказать, долг передо мной выполнила. От многого же отказалась. Мной жила. Теперь настала моя очередь. Про фотографии она ничего не знает. И не узнает. Не допущу. Так что скажи им, что я согласен. Дожали все-таки. — Он горько усмехнулся. — Сдаюсь.

Его обвислые усы казались наклеенными. Он был раздавлен. Какими бы соображениями он ни оправдывал свой поступок. Почему-то у меня возникло ощущение, что он меня предал. Я почувствовал, что закипаю. Несколькими часами раньше, когда я вез Свету, ее страх заставил меня собраться. Сейчас я переживал нечто подобное, только острее и злее. Он оказался слабее, чем я ожидал. Значит, я отвечал и за него. Мать его за ногу.

— Мне кажется, вы слишком спешите, — сказал я упрямо. — К тому же, если бы вы пришли к такому решению сами, в результате собственных размышлений, без давления извне, это было бы правильно. Это ваша жизнь, и вы вправе ею распоряжаться по своему усмотрению. Но у вас есть друзья, сторонники. Те, кто в вас поверил. И пошел за вас воевать. А вы после первого серьезного залпа решили сдаться. Вспомнили, что у вас семья, дети. Что вам пора домой. Водку пить. Зачем же было лезть в полководцы? Воля ваша, но только это по-другому называется.

— Да наплевать, как называется! — вяло отмахнулся он. — Хоть горшком назови, только в печку не ставь. Да и кто знает, какими способами нас Бог наставляет...

И тут меня прорвало. Все безумные и больные события сегодняшнего дня, рвавшие меня на части, загонявшие в угол, вдруг сплавились в одно ядро и сделались непереносимыми. Я больше не мог сидеть в окопе. Не хотел. Пружина всегда выпрямляется. И всегда в точке давления. Я не сочувствовал ему. И не жалел. Да я и себя не жалел.

— О Боге вспомнил?! — переходя на «ты», бросил я резко и насмешливо. — Что же ты раньше меня все народом глушил? И рассказывал, какой ты мужик? Мужик! — презрительно передразнил я. — «Легче убить, чем сломать!» Что ты там еще нес? Да какой ты мужик!

Он был мэр, и он был старше лет на двадцать, но мне не было до этого дела.

— Посмотри на себя, — продолжал я так же. — Ты извиваешься, как слизняк под каблуком. Дерись, если ты мужик! Дерись, если в тебе хоть что-то осталось!

Я уже стоял на ногах, вплотную к нему. Он растерянно снизу вверх уставился на меня, хлопая глазами. Наверное, он думал, что я ему сейчас врежу. Я бы и врезал, если бы он остался сидеть. Но он начал подниматься. Я схватил его ворот.

— Ты будешь драться! — с остервенением твердил я ему в бледное ненавистное лицо. — Ты будешь драться, ты понял! Ты будешь драться, хочешь ты или нет. Запомни, ты будешь драться! Или знаешь, сука, что я с тобой лично сделаю?!

Я не хотел этого говорить. Я вообще не собирался доводить до такого. Но остановиться я не мог. В ту минуту я совсем не контролировал себя.

Судя по тому, что отразилось в его глазах, я, наверное, все-таки поставил его в известность о своих видах на его будущее. Не думаю, чтобы это были те действия, которые мужчина ожидает в отношении себя от другого мужчины. Если он, конечно, не гомосексуалист, страдающий к тому же острыми приступами мазохизма.

Он тоже начал заводиться.

— Руки только убери, — пробормотал он недовольно. — И хватит ругаться. Я все-таки еще глава города. Не глухой. И вообще. Не ты один смелый...

Я перевел дыхание и отпустил его. Мы мрачно смотрели друг на друга.

— Ты что-то придумал, что ли? — наконец спросил он по-деловому. Сейчас он больше напоминал себя вчерашнего.

— Не знаю. Может быть. Правда, еще не до конца. Только не вздумайте в эти два дня делать никаких заявлений. Не отменяйте ни одного мероприятия. Со всеми держитесь так, как будто ничего не произошло. Если не можете, попросите жену запереть вас в чулане. И ждите моего звонка. Я позвоню самое позднее завтра. Я ясно говорю?

— Ясно, — огрызнулся он. — Все ясно. И знаешь что? Пусть лучше тебя самого жена в чулане запирает...

— Я разведен, — сообщил я, направляясь к выходу.

— То-то я и смотрю, что дикий, — бросил он мне вслед, поправляя куртку.

В ответ я хлопнул дверью так, что посыпалась штукатурка.

5

Только не спрашивайте, был ли у меня план действий. Разумеется, не было. Но это означало лишь то, что его предстояло найти.

Я не играл в Робин Гуда. И я отнюдь не собирался вмиг становиться защитником угнетенных. Они мне нравились ничуть не больше, чем угнетатели. Их единственное отличие состояло в том, что они слабее.

Но сейчас я думал не о Свете Кружилиной. Которая мне была совсем не симпатична. И не о Кулакове. Которого я едва знал. И даже не о Наташе. Я думал о себе. Храповицкий и губернатор ломали хребет не им. Они ломали его мне. Я так чувствовал. Не знаю почему.

Я редко размышляю о справедливости. Не испытываю в этом потребности. Но, как говорила моя кроткая жена, когда мы с сыном, резвясь, переворачивали вверх дном квартиру: «Не надо меня доводить. Хуже будет».

Повторяю, я не знал, что я сделаю. И потому я поехал домой, предварительно отключив мобильный телефон, чтобы не говорить с Храповицким раньше времени.

Часа полтора я просто лежал в гостиной на полу. На спине. Не то чтобы это помогало, просто, лежа на полу, я чувствовал мир иначе. В конце концов я захотел подняться.

На работу я вернулся к пяти, предварительно узнав, на месте ли Храповицкий. Он был еще на месте.

Не обращая внимания ни на толпу в приемной, ни на Лену, я вошел хмурый и сосредоточенный. И так посмотрел на расположившегося напротив Храповицкого Васю, что он тут же исчез, забыв на столе свои каталоги.

— Какой сердитый мужчина, — заметил Храповицкий, оглядывая меня с ног до головы. Он был настроен игриво. — Мне страшно. Не обижайте сироту.

— Он не собирается сниматься, — отрезал я.

— То есть как это не собирается? — недоверчиво переспросил Храповицкий. — Он готов любоваться фотографиями своей дочери?

— Он готов предоставить прокуратуре показания Светы Кружилиной о нашей поездке в Москву. Она нашла его и все ему выложила. Он где-то ее спрятал. Где именно, не говорит, но намекает, что переправил ее в другой город.

Храповицкий переменился в лице. Вся его веселость вмиг улетучилась. Несколько минут он молчал.

— Она что, не понимает, чем это для нее закончится?! — спросил он, наконец, очень тихо. И очень серьезно.

— Она все понимает. Она считает, что Синего зарезали мы с тобой по приказу губернатора. И она не хочет быть следующей. Во всяком случае так говорит Кулаков, — добавил я поспешно. — Между прочим, он и сам так думает. — С моей точки зрения, последняя фраза выглядела особенно убедительно. — Они оба уверены, что после рассказа о губернаторских угрозах прокуратура будет обязана Свету охранять. В любом случае, если с ней потом что-то случится, то виноваты окажемся мы.

Храповицкий опять надолго замолчал. Глаза его сузились. Он что-то напряженно обдумывал.

— Где же он ее откопал? — Мне показалось, что в его жестком лице мелькнуло подозрение. Но к этому вопросу я был готов.

— Она раньше встречалась с кем-то из его заместителей. Сразу после допроса побежала к нему за защитой. А тот привел ее к Кулакову.

— Надо звонить губернатору.

Храповицкий принялся набирать номер, потом покосился на меня и положил трубку.

— Я лучше позвоню из комнаты отдыха, — сказал он и вышел.

Значит, он мне не вполне доверял. Тем лучше. Мне всегда труднее было обманывать тех, кто мне верил.

Храповицкий вернулся через несколько минут.

— Губернатор отменил совещание. Он ждет нас немедленно. Поехали. Сам все расскажешь.

Началось. Я заварил кашу. Предстояло ее расхлебывать. Разница между мной и любознательным исследователем, который бросает в аквариум неведомый раствор, чтобы посмотреть, какая из рыбок всплывет брюхом вверх, заключалась в сущем пустяке. Я сам нырял в этом аквариуме.

ГЛАВА ВОСЬМАЯ

1

В отличие от мэрии, куда пускали кого попало и где старички-вахтеры либо дремали, либо читали газеты, в областной администрации на входе стояли суровые милиционеры и сосредоточенно проверяли пропуска. Храповицкого здесь, впрочем, знали, мы прошли без остановки и поднялись на третий этаж.

Губернатор был взвинчен и зол. Кричать он начал, едва за нами закрылась дверь.

— Я же просил тебя вышвырнуть эту тварь из города! Надо было исполнять то, что я говорю. Что ты теперь собираешься делать?!

Наверное, на месте Храповицкого я бы ответил. И попытался бы объяснить, что за двадцать четыре часа невозможно вышвырнуть из города ни одну тварь. После чего, возможно, я бы тонко намекнул, что спать надо не с тварями, а с собственными женами. И что думать о предстоящих действиях предстоит не мне, Храповицкому, а губернатору. Поскольку меня, Храповицкого, эта история касается гораздо меньше, чем всех остальных.

Однако из всего этого следует лишь то, что я никогда не буду на месте Храповицкого. Потому что он не стал спорить с губернатором. Он, не отвечая, прошел в кабинет, сел за стол и сложил перед собой руки, как внимательный ученик на уроке, всем своим видом показывая, что если он что-то и собирается делать, так это терпеливо слушать. Я сел рядом с ним и попытался принять ту же позу.

Губернатор опустился в кресло напротив нас. В кабинете было прохладно, но он был без пиджака, с расстегнутым воротом рубашки и болтавшимся на груди галстуком. На его лбу блестели капельки пота. Видимо, ему было жарко.

— Кто вообще поверит этой дуре? — продолжал он чуть ниже тоном. — Кто она такая, если вдуматься? Шлюха. Проститутка. Все равно что воровка. И она собирается обвинять губернатора области! Это же смех!

Он ненатурально хохотнул. Смех вышел деревянным.

Храповицкий, не произнося ни слова, посмотрел на стену, потом в потолок, затем принялся изучать поверхность стола.

— Ну что ты молчишь! — не выдержал губернатор.

— Уже можно? — осведомился Храповицкий. — Спасибо. Видите ли, — начал он рассудительно, — дело не в том, поверят ей или нет. Дело в том, что после ее заявления, если оно, конечно, последует, прокуратура будет обязана допросить меня, Андрея и тех, кто тогда летал с нами. Если понадобится, вызовут сотрудниц ВИП-зала, которые регистрировали наши паспорта, официантов в ресторане, работников отеля, нашу охрану и так далее. Я думаю, что факт поездки отрицать будет глупо. И хотя во всем остальном у нее нет никаких доказательств, эта история может стать чрезвычайно неприятной. Для всех, — добавил он деликатно.

Я думал, что губернатор вспылит. Но он явно струсил. И, как ни странно, несколько отрезвел.

— А что именно она говорит? — спросил он все еще раздраженно, но уже спокойнее.

Храповицкий выразительно посмотрел на меня. Я догадался, что мне дают слово, и кратко пересказал то, что уже озвучил ему раньше. Губернатор наморщил лоб, размышляя.

— Какой все-таки мерзавец, этот Кулаков! — воскликнул он. На его красивом лице отразилась искренняя обида. — Ничем не брезгует!

Храповицкий взглянул на него с любопытством.

— Да. Похоже, мы его недооценили, — заметил он.

— Шантажист! — продолжал негодовать Лисецкий. — Все коммунисты такие.

— Действительно, негодяй, — послушно отозвался Храповицкий, всем своим видом выражая сочувствие.

Я не мог понять, издевается ли он в эту минуту над губернатором или впрямь соглашается с ним.

— А если мы все-таки опубликуем эти фотографии? — предложил губернатор. — Выстрелим первыми, не дожидаясь, пока он что-то предпримет.

— Благодарен он нам, конечно, за это не будет, — ответил Храповицкий. — Вопрос в том, остановит ли это его?

— С фотографиями вообще может получиться перебор, — вмешался я поспешно. — Мало того, что это еще больше распалит Кулакова. Не всем понравится, что мы бьем по детям. Кто-то, конечно, будет злорадствовать. Но могут найтись и сочувствующие. Все-таки отец за дочь не ответчик. Тем более за приемную.

Губернатор встал, пересел за письменный стол, взял ручку и приготовился писать.

— Ну, так что от нас хочет это животное? — спросил он деловито.

— Животное хочет, чтобы вы сняли Черносбруева, — ответил я, стараясь говорить небрежно.

Лисецкий вскочил как ужаленный. Ручка полетела на пол.

— А может быть, он еще хочет, чтобы я поддержал его на выборах?!

Наверное, я мало работаю над собой. Не хожу в спортивный зал и не приседаю со штангой. Потому что я не удержался от соблазна отвесить ему подзатыльник. Как загадочно выражаются женщины, когда сообщают нам о своей измене, это от меня не зависело.

— Нет, — ответил я с простодушным видом. — Он не хочет, чтобы вы его поддерживали. Он считает, что это ему только помешает.

Последовала длинная тирада, состоявшая преимущественно из бранных слов и выражавшая явное возмущение губернатора такой оценкой политической ситуации. Мне даже стало немного жаль его.

— А как быть с нашими расходами? — подал голос Храповицкий. — Их необходимо каким-то образом компенсировать.

— Об этом он готов разговаривать, — нагло соврал я.

— В таком случае надо договариваться, — заключил Храповицкий с некоторым облегчением. — И чем скорее, тем лучше, пока все это не вышло из-под контроля.

— Ты только о деньгах думаешь, — упрекнул его губернатор язвительно.

— Я не политик, — кротко согласился Храповицкий.

Губернатор вновь выругался. Идея договариваться с Кулаковым явно не вызывала его восторга. В кабинете повисла долгая пауза.

— Ладно, — решил, наконец, Лисецкий. — Давайте встречаться завтра. В два часа. Нет. Послезавтра. В четыре. А то еще решит, что мы слишком быстро согласились. Послезавтра у нас что? Воскресенье? Вот и отлично. Давайте у меня дома. И звоните ему сами. Мне с этим шантажистом даже по телефону общаться противно.

2

Когда мы ехали к губернатору, Храповицкий не сказал со мной ни слова. Так же он держался со мной и по дороге из областной администрации. Настороженно и несколько отчужденно. То ли он обдумывал предстоящий разговор с Виктором и заранее настраивался, то ли своим звериным чутьем чувствовал расставленный мною капкан. Я тоже был напряжен и не испытывал потребности лезть к нему с расспросами.

На подъезде мне позвонил Плохиш.

— Ты говорил с Храповицким? — спросил он сразу, по своему обыкновению не представляясь.

— Не успел, — ответил я кратко.

— А чего ты ждешь? — взвился Плохиш. — Пока меня в камеру закроют, что ли? Вопрос решать надо! Мусора теперь этого Синего на меня повесят. Мне нужно либо сваливать, либо к какому-то берегу прибиваться!

Я отключил телефон. Признаюсь, меня мало волновала острая необходимость Плохиша прибиваться к какому-то берегу. Но движимый чувством долга, я все-таки рассказал Храповицкому о его готовности устранить Виктора. Храповицкий слушал, не поворачивая головы и ни разу не посмотрев в мою сторону. Угадать его реакцию я не мог.

Я подождал, но поскольку отвечать он явно не собирался, спросил:

— Так мне что-нибудь говорить Плохишу?

— Скажи, что не успел мне доложить.

Больше он не прибавил ничего.

Встречу Храповицкий назначил в нашей загородной гостинице, оставшейся еще со времен Громобоева. Это было маленькое одноэтажное здание, расположенное в лесу, минутах в двадцати езды от центра. Летом здесь жили наши сотрудники, но в это время года она пустовала.

Нас встретила пожилая администраторша и проводила в столовую с простой деревянной мебелью. Все уже были в сборе и ждали нас за общим большим столом, на котором стояло вино, фрукты и легкая закуска.

Вася, понимая торжественность момента, был непривычно трезв. Пономарь, который выглядел очень взвинченно, зачем-то привез с собой Плохиша. Плохиш нервничал, ерзал и беспрерывно грыз орехи. Виктор сидел один, во главе стола, небрежно развалясь. Он выглядел скучающим, как будто не понимал, зачем его оторвали от важных занятий и притащили сюда.

Рядом с Васей сидел Павел Сырцов, которого на моей памяти никогда не вызывали на внутренние совещания, если они не касались сугубо финансовых вопросов. Очевидно, его пригласил Храповицкий, имея какой-то свой план. Сырцов явно чувствовал себя не в своей тарелке, часто пил минеральную воду мелкими глотками и теребил галстук.

Его присутствие, непонятное для всех окружающих, еще больше сгущало атмосферу ожидания, добавляя ей нервозности.

— Прошу прощения за наше опоздание, — сухо проговорил Храповицкий, входя. — Нас срочно вызвал губернатор.

Очевидно, упоминанием губернатора он хотел придать особую значимость нашей задержке. Это произвело впечатление на всех, кроме Виктора, который громко хмыкнул и покачал головой, как будто не поверил Храповицкому.

Мы сели с Храповицким рядом, он налил себе немного красного вина и пригубил.

— Мы собрались сегодня в довольно необычном составе, — начал он ровным голосом. Он по очереди посмотрел на всех, чуть задержавшись взглядом на Викторе. — Вопросы, которые мне хотелось бы обсудить, затрагивают всех присутствующих. — Он оглянулся на перепуганного Сырцова и добавил: — В той или иной степени. И я хочу получить на них ясные ответы.

Он подождал, но никто не произнес ни слова, и он продолжил:

— Тогда вопрос первый. Что у нас происходит в Нижнеуральске? И почему ни Вася, ни я ничего об этом не знаем?

Услышав о том, что от него что-то скрыли, Вася расправил плечи и обвел всех нас строгим взглядом.

Пономарь кашлянул и покраснел.

— Владимир, я хочу купить в Нижнеуральске один завод, — скороговоркой произнес он. — Не важно какой. Это мой личный проект. Я с огромным уважением отношусь к тебе, но я не думаю, что ты должен в это вмешиваться. И я не обязан никому отчитываться.

Примерно такого ответа я и ждал от Пономаря. Он был не трус, не работал у Храповицкого, а Васю и вовсе видел в том месте, где хотел, а не в том, где хотелось Васе. Другое дело, что сказанное им было не вполне правдой, но уличить его в этом представлялось сложным.

Храповицкий выслушал его спокойно и даже вежливо. Вероятно, он тоже не ожидал другого.

— Это не касалось бы меня вовсе, — кивнул Храповицкий. — Если бы у меня не было серьезных оснований полагать, что в данной сделке замешан один из моих партнеров. А это нарушает нашу внутреннюю договоренность, согласно которой ни один из нас не имеет права на свой собственный отдельный бизнес, чтобы не наносить ущерба общим интересам.

— Неэтично, — авторитетно поддакнул Вася. — Да и капитал размывается.

При мысли о размывании капитала Васе сразу стало дискомфортно. И он плеснул вина себе в стакан.

— Ты на меня, что ли, намекаешь? — подал голос Виктор. Он обращался исключительно к Храповицкому, как будто Васи не существовало в природе. — Ты говори прямо, чего крутить-то?

Храповицкий всем корпусом повернулся к нему. Виктор ответил ему насмешливым взглядом.

— Я не намекаю, — не спеша, ответил Храповицкий. — Не мой стиль. Я говорю о тебе.

— Я одолжил Сане денег, — пожал плечами Виктор. — Что в этом плохого? В свое время я одалживал их тебе. Своими деньгами я распоряжаюсь как хочу. Или я должен теперь спрашивать у тебя, как их потратить? И в чем ты тут усматриваешь нарушение договоренностей?

— Я приблизительно представляю стоимость сделки, — улыбнулся Храповицкий. Сейчас, когда драка начиналась, он чувствовал себя совершенно в своей стихии. Внешне это почти не проявлялось, но, сидя рядом, я кожей ощущал его радостное охотничье возбуждение. — Или, если угодно, знаю ее точно. В сумме речь идет о двух с половиной миллионах долларов. И если корректно допустить, что ты добавил недостающую половину, то даже ребенку станет понятно, что такие деньги для бизнеса никто никогда взаймы не просит. Потому что их никто не дает. Их берут в кредит, в банке. Под определенные гарантии. И проценты. К тому же, насколько мне известно, вы приобрели... — Храповицкий нарочно подержал паузу, прежде чем поправиться, — прошу прощения, Саша купил только треть акций. Что не дает ему никаких прав на этом заводе. Чтобы получить контрольный пакет, ему придется заплатить еще почти столько же. Он опять попросит у тебя?

— А почему бы и нет? — Виктор говорил и держался вызывающе. — Работать мы с ним начали гораздо раньше, чем с тобой. Да и обязан я ему больше, чем тебе. В общий карман я не залезаю. И твоих обид не воспринимаю. Или ты ревнуешь?

Виктор явно дразнил Храповицкого. Выбрав эту линию поведения, он даже не старался быть убедительным. Наоборот, всей своей интонацией он давал понять, что считает упреки Храповицкого нелепыми, не придает своим ответам никакого значения и что ему глубоко наплевать, верят ему или нет. Насколько я понимал, он провоцировал ссору, открытый скандал, тогда разговор, неизбежно став эмоциональным, ушел бы от главной, невыгодной для него темы и переключился бы на личности.

— Владимир, — вмешался Пономарь. — Я не очень понимаю, что мы тут обсуждаем: мою сделку или ваши внутренние отношения? Кстати, у меня нет никаких возражений, если вы втроем войдете в долю. Там очень перспективный бизнес, мне нужны деньги и надежные партнеры.

Наверное, они с Виктором успели обсудить ситуацию и договориться. Сейчас они играли внешне порознь, но на одну руку.

— Почему же ты не предложил этого раньше? — возразил ему Храповицкий. — Надеялся, что все пройдет гладко? Надежные партнеры тебе потребовались для войны с Ильичом? Я не думаю, что этот проект меня заинтересует. Во всяком случае сейчас. И я не могу полагаться на партнера, который ведет самостоятельную игру. И я вовсе не собираюсь воевать с кем-то в Нижнеуральске. Или я уже воюю, сам того не подозревая?

— Допустим, все сказанное тобою — чистая правда, — ухмыльнулся Виктор с непередаваемой наглостью. Он даже закинул ногу на ногу. — Допустим. И что ты мне сделаешь? Выбросишь из бизнеса?

— Представь себе, мы с Васей имеем на это право, — ответил Храповицкий вкрадчиво. — И знаешь что? Пожалуй, мы готовы это сделать...

— Да не кивай ты на Васю, — перебил Виктор. — Нашел тоже союзника! Не обижайся, Василий, ты славный парень, с тобой приятно выпить, но какой ты бизнесмен?!

— Да уж не хуже тебя! — огрызнулся оскорбленный Вася, наливая себе еще. — И вообще я бы попросил...

— Вову проси! — отрезал Виктор. — А еще лучше вы это хором сделайте! Ты, Сырцов и Решетов. Вся Вовина группа поддержки. Что ж ты, Вова, так меня боишься? Надо тебе было еще кого-нибудь притащить! Ну что ж, давай. Выкупай мою долю. У нас ведь так по уставу? В случае разногласий двое партнеров выкупают акции третьего. Паша, скажи, на что там моя часть тянет? Тебя ведь для этого привезли?

Я думал, Сырцов рухнет в обморок. Все это время он, похоже, был готов залезть под стол, лишь бы не быть свидетелем конфликта начальников. Вопрос Виктора и вовсе застал его врасплох. Он побледнел, покраснел, поперхнулся, схватился за узел галстука, потянул его вбок и даже начал подниматься. Потом усилием воли остался сидеть.

— Это невозможно сказать, — ответил он, заикаясь. — Абсолютно невозможно.

— Почему же? — резвился Виктор. — Я хочу продать. Ребята готовы купить. Чего тянуть? Или боишься ошарашить присутствующих цифрами? Брось! Мы же все здесь друзья. Ближе не бывает.

— Дело не в цифрах, — забормотал Сырцов, уставясь в стол. — А в том, что наш, простите, ваш общий бизнес невозможно оценить. Он очень разнородный. Есть то, что приносит прибыль. А есть совершенно убыточные направления. Нужна полная ревизия. Экспертная оценка. Мы же не на Западе живем. В случае выхода кого-то из вас можно только договариваться.

Виктор засмеялся, довольный. Он явно наслаждался всем происходящим.

— Видишь, Володя, как получается, — наставительно протянул он. — Не выходит у нас расстаться. Во всяком случае так быстро, как тебе бы хотелось. Так что уж придется тебе меня потерпеть. Нравлюсь я тебе или нет.

— Ты поэтому так себя и ведешь? — спросил Храповицкий холодно. Про себя я пытался угадать, действительно ли он собирался расходиться с Виктором и знал ли, каким будет ответ Сырцова. По своему характеру он не мог затевать ссору, не предвидя ее последствий. Значит, у него был собственный план. — Ты уверен, что быстро разделиться не удастся, и потому у тебя развязаны руки, так? Ты можешь нарушать правила, втягивать нас в войну...

— В какую войну? — перебил Виктор. — И какое отношение неизвестная мне война имеет ко мне?

— У Александра была ссора с Синим, — терпеливо пояснил Храповицкий. — После этого Синего убили. И Ильич будет искать виновных.

— Я не убивал Синего! — горячо воскликнул Пономарь. — Мне это не нужно!

Мне показалось, что он говорил искренне.

— В натуре, Вов, это не мы, — встрял Плохиш. — Зачем нам это! Нас или замочат, или закроют. Нас, может, и так уже в розыск объявили.

— А он и не думает, что вы убивали, — успокаивающе заметил Виктор. — Правда ведь, Володя? Он знает, кто убил. Да?

Теперь он говорил почти ласково. Но в его тоне было что-то очень гадкое. Я почувствовал, что сейчас он зайдет с козырной карты.

— Что значит, я знаю? — удивился Храповицкий. Мне почудилось, что впервые за вечер он несколько растерялся. Хотя я мог и ошибаться. Временами я переставал понимать его игру.

— А ты расскажи нам, с кем вы в Москву летали, — предложил Виктор, все так же скверно улыбаясь. Со своим изрытым оспинами лицом и покрасневшими глазами он почему-то походил на сатира. — А то ты ведь нам давно ничего не рассказываешь. Это только от нас с Васей отчета можно требовать. Ты же выше этого. Расскажи, с кем там губернатор спал. С кем поссорился? Может, ты ему угодить решил, а, Володя? Убрать любовника губернаторской любовницы. Ведь как здорово перед губернатором прогнуться! Ты ведь это уважаешь, а?

Это уже было оскорбление. Я увидел, как лежавшие на столе сильные длинные пальцы Храповицкого побелели от напряжения. Но он не ответил и не переменился в лице. Он просто сидел, глядя на Виктора с непроницаемым выражением, ожидая продолжения. Однако Виктор, нанеся свой удар, демонстративно отвернулся от Храповицкого и теперь обратился к Пономарю.

— Эх, Саня! Дорогой ты мой, простодушный дурачок! Если бы проблема была только в губернаторе! Нет. Тут не губернатор. Ведь что получается? На «стрелке» был ты. Синего убивают. На кого подозрения?

— А при чем тут я? — сорвался с места Плохиш. Его пухлые щеки затряслись.

— Да молчи ты! — прикрикнул на него Виктор. — Кому ты интересен! А подозрения, Саня, падают на тебя. Или на меня. Как мне тут недавно пытался доказать один

Володин подручный. — Не оборачиваясь, он ткнул в мою сторону пальцем. — Дескать, если с кем-то что-то случается, то это непременно по моей вине.

Он бессовестно передергивал. И он перебирал. За «подручного» ему можно было врезать сразу. Но, вероятно, именно этого он и добивался. Скандала. Поэтому я решил врезать чуть позже. Когда остыну.

— И выходит, что главные враги Ильича — это, Саня, мы с тобой! И осталось только разжевать это Ильичу. Так? А для этого и существуют подручные. Жадные до денег. Готовые шпионить. Он вон даже на «стрелку» не побоялся приехать. Он и до Ильича доберется. Шустрый мальчонка. И что сделает Ильич? Догадаться нетрудно. Видишь ли, Саня, если чью-то долю нельзя выкупить, то ее можно забрать. Вот в чем суть.

Виктор явно нарывался. Я прикрыл глаза и начал про себя считать до двадцати.

— Ты что, правда думаешь, что я приказал убить Синего, чтобы натравить на тебя Ильича? — недоверчиво переспросил Храповицкий.

— И получить мою долю, — уверенно закончил Виктор. — Что же тут неправдоподобного?

— Да ты с ума сошел! — вспыхнул Храповицкий. — Да я...

Он осекся и взял себя в руки.

— А! Теперь я понял. — Он опять заговорил ровным тоном. И даже улыбнулся. — Неплохая попытка переложить с больной головы на здоровую. Заход избитый, но действенный. Ты пытаешься приписать мне то, о чем думаешь сам.

— А я и знать не знаю, о чем ты думаешь, — с издевкой ответил Виктор. — А ты не знаешь, о чем думаю я. Мы оба можем лишь гадать. И сдается мне, мы оба думаем об одном и том же. Я мог бы, конечно, отпираться, как ты. Но не хочу. Мне лень. Давай-ка я по-другому объясню.

Он встал с места и, не спеша, прошелся по столовой, потягиваясь и поглаживая себя по груди.

— Скажите-ка мне, вы все, для чего мы живем?

Вопрос был неожиданным и довольно неуместным.

— Ну, ты загнул! — воскликнул Вася.

— В каком смысле? — Это уже была реплика Пономаря.

— Нет, я спрашиваю не о том, для чего живет человек или в чем смысл жизни. Такая общефилософская чушь меня мало интересует. Я спрашиваю про нас. Про тех, кто здесь. Для чего мы живем?

— Для того чтобы зарабатывать бабки! — не удержался Плохиш. — А для чего же еще. И все живут для этого.

— Правильно, — кивнул Виктор. — Молодец. А теперь ответь, как легче всего заработать деньги.

— Ясно как. Украсть, — уверенно сказал Плохиш. — Ну, можно еще отнять.

— Точно! — Виктор ликовал. — И что из этого следует?

— Я не вполне согласен, — неожиданно подал голос Сырцов. Он боялся смотреть на Виктора и боялся возражать. Но молчать не мог. — Украсть — это одномоментный подход. Очень рискованный. Потому что если поймают, то могут... В общем, в конечном счете, этот путь может оказаться самым трудным. С самыми тяжелыми последствиями.

— Это если поймают. — Виктор посмотрел на него снисходительно, как на ребенка. — А если точно знать, что за это не накажут, то ничего выгоднее этого нет. И именно этим мы все и занимаемся. В своем-то кругу можно же не морочить друг другу голову. Взвешиваем риски. И потом воруем. Или забираем.

— Я никогда не ворую! — заявил Храповицкий твердо. Он выпрямился.

— Это ты другим говори, — засмеялся Виктор. — Какой ты уважаемый и законопослушный бизнесмен. Как ты платишь налоги. И вносишь вклад в экономику страны. Мы же здесь не форму обсуждаем, а содержание. Я-то в отличие от тебя привык правде в глаза смотреть. С тех самых пор, как в торговле работал и мясо рубил. Мы там вещи своими именами называли. Так ведь, Саня? Но сколько бы ты ни врал себе, внутри себя ты знаешь, чем мы занимаемся. Да, мы все делаем по закону. Только закон мы покупаем.

Храповицкий хотел возразить, но Виктор не дал.

— А раз мы все про себя знаем, то к чему устраивать балаган? Честно — нечестно? Надо говорить, выгодно или не выгодно. Выгодно тебе меня убивать? Или мне тебя убивать выгодно? Внешне — очень. Убрал партнера, получил долю. Но тут надо все считать. Что будет потом? Как это отразится на бизнесе? Кто захочет в него войти? На кого упадут подозрения? Тут наступает сырцовская правда. Надо думать о последствиях. Скажешь, я не прав?

Но сказать Храповицкий ничего не успел. В комнату вошел начальник его охраны и, наклонившись к Храповицкому, что-то прошептал на ухо.

— Какой Сергей? — недоуменно глядя на него, громко вслух спросил Храповицкий.

Начальник охраны опять что-то пошептал.

— Да ты шутишь?! — охнул Храповицкий.

Он обвел нас всех озадаченным взглядом.

— Вы не поверите. Но сюда приехал Ильич. Он хочет с нами поговорить.

3

Наступило всеобщее молчание. Никто ничего не понимал. Первым, как ни странно, опомнился Сырцов.

— О чем нам с ним говорить? Зачем? — почти выкрикнул он высоким, неестественным голосом.

— Не надо бандитов! — горячо поддержал его Вася. — Мы его к себе не приглашали.

Виктору в его состоянии было безразлично, с кем выяснять отношения: с Ильичом или президентом Монголии. Он лишь небрежно отмахнулся. Пономарь набрал в легкие воздуха и шумно выдохнул. Плохиш молчал, но выглядел так, как будто ему сейчас станет дурно.

— Но мы не можем ему отказать, — ответил Храповицкий рассудительно. — Это будет означать, что мы испугались. Пусть заходит, — кивнул он начальнику охраны.

И вновь воцарилось молчание, продолжавшееся несколько минут, пока мы ожидали появления Ильича. Мне было любопытно. До этого лицо Ильича я видел только на милицейских фотографиях, хотя слышал о нем очень много и очень противоречивого.

Никто не мог объяснить, откуда взялось его странное прозвище, рождавшее ассоциации с вождем мирового пролетариата. Возможно, для обездоленных бандитских масс губернии Ильич являлся фигурой не меньшего масштаба.

В молодости он пару раз сидел, а когда оказался на свободе, страна уже была охвачена новой русской революцией. Первые нестройные ряды бандитских, или, как их тогда называли, «рэкетирских» армий рекрутировались преимущественно из спортсменов, для которых мордобой на «стрелке» был событием огромной важности, обсуждавшимся неделями.

Бывалые уголовники относились к ним с пренебрежением. Ильич одним из первых понял неисчерпаемые перспективы бандитского бизнеса и принялся за его освоение.

Спортивных бригадиров, наводивших своими именами ужас на трепетное коммерсантское сословие, Ильич уничтожал безжалостно, как тараканов. Их убивали на квартирах любовниц, вместе с их подругами, расстреливали в офисах и ресторанах, взрывали на стоянках. Криминальный мир губернии дрогнул. Захватчику пытались дать отпор объединенными силами, и несколько покушений было организовано на Ильича. Однако, то ли в силу своей осторожности, то ли благодаря природной живучести и везению, он не получил ни царапины. И ответил беспощадным террором. Теперь счет трупам пошел на десятки.

Через три года он стал хозяином огромного промышленного Нижнеуральска и делил между лояльными ему бригадирами сферы бизнеса.

Принадлежа по убеждениям к уголовному миру, Ильич реформировал стихийные бандитские «понятия» с той же бескомпромиссностью, с которой некогда его предшественник обращался с трудами классиков марксизма. Он ограничил взимание дани за «крышу» с задыхавшихся коммерсантов тридцатью процентами, ввел в бандитском мире жесткую иерархию, запрещавшую бригадирам «работать от себя», без благословения криминальных авторитетов, и сделал обязательными регулярные отчисления в воровской «общак».

После чего коммерсанты, толкаясь в очередях, понесли ему оброк, бандиты признали его старшинство и сами взялись за отстрел самозванцев, а воры в законе не принимали серьезных решений, не посоветовавшись с ним.

Неизвестно, куда Ильич девал свои несметные доходы, ибо излюбленную бандитами роскошь он не поощрял и быт вел самый неприхотливый, что отчасти было обусловлено его почти десятилетним пребыванием в федеральном розыске.

Наконец, дверь открылась, и Ильич вошел. На вид ему было лет сорок. Это был очень высокий, под два метра ростом, плотный, широкоплечий, сильный человек, с размеренными, неторопливыми движениями. У него было вытянутое лицо, крупный нос, раздвоенный на конце, глубоко посаженные стальные глаза, настороженно смотревшие исподлобья, и светло-русые длинные прямые волосы. Последнее было совершенно не характерно для бандитов, которые обычно стриглись коротко. Одет Ильич был очень просто: темные брюки и какая-то спортивная куртка, он явно не придавал значения внешнему виду. Ни обычных для бандитов золотых браслетов, ни перстней на его больших грубых татуированных руках не было.

Рядом с ним вразвалку двигался малый лет тридцати пяти, курносый, с вьющимися соломенными волосами, голубыми глазами и выцветшими ресницами. Своим дурашливым и смешливым веснушчатым лицом он напоминал сельского гармониста, веселого и загульного. На нем был дорогой черный костюм в яркую красную полоску, светлая рубашка без галстука и черные лаковые вечерние туфли. Гораздо больше ему подошла бы телогрейка и валенки.

Ильич вошел уверенно и вместе напряженно, как хищное животное, которое знает свою силу, но всегда настороже. Остановился посредине комнаты и, не спеша, оглядел собравшихся своими враждебными стальными глазами. Безошибочным чутьем он выбрал Храповицкого, приблизился к нему и пожал руку. Потом внимательно посмотрел на меня, сидевшего рядом, и пожал руку мне.

Гармонист в черном щегольском костюме последовал его примеру и представился:

— Юра Бык.

В милицейских документах Бык фигурировал часто. Он командовал боевыми подразделениями Ильича и являлся его главным ударным инструментом. Ильич отдавал приказы, а организовывал и убивал именно Бык. Как и Ильич, он давно числился в розыске, что, похоже, ничуть его не смущало. В отличие от Ильича он смотрел на нас с нескрываемым любопытством.

Ильич сделал еще несколько шагов и грузно опустился на стул напротив Виктора, с другого конца стола. Бык нашел свободный стул, подтащил его и уселся рядом с Ильичом.

— Я слыхал за вас, — сказал Ильич с привычной для уголовников манерой выражаться вне законов русской грамматики. — Был неподалеку, думаю, надо увидеть людей личными глазами.

— Лучше, как говорится, семь раз увидеть, чем один раз услышать, — жизнерадостно сообщил Бык.

И хотя он безбожно переврал поговорку, Ильич оценил его образованность и важно кивнул. Ободренный Бык тут же схватил вилку и принялся увлеченно ковыряться ею в зубах.

— Короче, суть такая, — продолжил Ильич неторопливо. — Убили моего пацана. Кто-то должен отвечать. Вопрос: кто?

Признаюсь, я был поражен его наглостью. За ним охотилась вся милиция губернии, а он, практически один, приехал к людям, которые, мягко говоря, не испытывали к нему дружеского расположения, принадлежали совершенно к иному кругу и всегда держались в стороне от уголовников. Пономарь и Плохиш в счет не шли — они мирно уживались с милицией, поскольку их бандитизм носил все-таки доморощенный и сравнительно безобидный характер. Если вспомнить, что на улице нас ожидали около тридцати вооруженных и тренированных охранников, то требовать от нас ответов на свои вопросы было как-то не очень осторожно.

Однако держался Ильич так, как будто подобная мысль не приходила ему в голову вовсе.

— Значит, ты приехал вовремя, — ответил Храповицкий невозмутимо. — Мы сами хотели бы знать ответ на этот вопрос. Выяснением этого мы сейчас и занимались.

166

— Выяснили? — коротко осведомился Ильич, хмурясь.

— Нет еще. Хотя для нас это так же важно, как и для тебя. Пусть и по другим причинам.

Я обратил внимание на то, что Храповицкий говорил с ним спокойно и даже охотно. Как с равным.

— Слышь, — ухмыльнулся Бык, вынимая вилку изо рта и оживляясь. — Так не бывает. Пацана поставили на глушняк. — Он сделал движение руками, как будто выжимая тряпку. Очевидно, так, по его мнению, проходила процедура постановки «на глушняк». — А виноватых, понял, нет! Вам самим не стремно?

— Да говорят тебе, это не мы! — выкрикнул Плохиш. В его голосе звучали почти истерические ноты.

Бык лишь поднял бесцветные брови, но даже не повернул головы в его сторону. Вместо этого он уставился на нас с Храповицким и спросил с любопытством.

— Это кто голос подал? Ваш коммерсант, что ли? Я в натуре в непонятках.

От этого чудовищного оскорбления, нанесенного публично, Плохиш задохнулся и издал сдавленный горловой звук. На такой эффект Бык, видимо, и рассчитывал. Он радостно осклабился.

— Ой! Я ошибся! — поспешно воскликнул он с деланным испугом. — Это, видать, ваша «крыша»! Здорово, братан!

И он, сорвавшись с места, бросился жать руку оторопевшему Плохишу с преувеличенным почтением. Он явно глумился. Но теперь в лице переменился Храповицкий.

— Мы не платим бандитам! — заявил он высокомерно.

— Знать, богато живете, — завистливо откликнулся Бык. — Делиться надо. Или вы все мусорам относите?

Ильич, очевидно, привыкший к шутовским выходкам своего сподвижника, сделал неуловимое движение, призывая его замолчать, и тот сразу же успокоился и сел на место.

— А мой завод тоже не вы хотели забрать? — спросил Ильич насмешливо.

— Про завод ты со мной говори, — сказал Пономарь твердо. — Это мой бизнес.

167

Ильич медленно повернулся к нему и уставился на Пономаря своим неподвижным взглядом.

— Опять не понял! — радостно встрял Бык. — Завод наш. А бизнес твой.

Пономарь слегка покраснел. Он хотел ответить резкостью, но Бык его перебил.

— Вот ты сам подумай. Головой, — привычно начал объяснять он. — Значит, ты будешь бабки грести, а пацаны пускай пасутся? Нам ведь чужого не надо. Ты нам наше отдай. Ты пацанам шаг навстречу сделай, они тебе два в обратку сделают. Нам все равно, на чем по степям скакать. Если нет денег, ты нам «тачки» зашли.

Всю это набившую оскомину бандитскую чушь я слышал уже не раз. Именно в этих терминах они обычно «приговаривали» коммерсантов к выплатам.

— Ты лохов на «стрелках» разводи! — вспыхнул Пономарь. — Со мной это не пройдет.

Ильич тяжело усмехнулся.

— Ты нас «валить» собрался? — в упор спросил он.

Пономарь не ответил. Объявить войну Ильичу он не решался, несмотря на всю свою смелость. Сказать что-то неопределенное означало уступить.

Ильич еще подождал. Но ответа не последовало. Выиграв раунд, Ильич продолжил, уже чуть мягче.

— Дураки воюют. Умные договариваются. Не так?

— Ладно, — неохотно согласился Пономарь. — Давай встречаться. Только отдельно. Я не хочу об этом при всех говорить.

Было ясно, что второй раунд вновь остался за Ильичом. И он решил нарезать колею глубже.

— Значит, по заводу потом, — заключил Ильич. — А как насчет Синего?

— Думаю, здесь наши интересы совпадают, — заговорил я. — И лучше нам будет объединить усилия. У вас есть свои источники. У нас — свои. Если мы зайдем с двух концов, то выяснение не займет много времени.

Ильич подумал и кивнул.

— Отвечать все равно придется. Рано или поздно все выяснится, — произнес он убежденно. — Но нужно, чтобы рано.

— А то нас, слышь, пацаны не поймут, — с угрозой подхватил Бык. — Они и так уже копытом землю роют. — Он покосился на Пономаря, но тот и бровью не повел.

Мне показалось, что Ильич как-то слишком легко согласился. С ходу принимать чужую точку зрения было, кажется, вообще не в его манере, тем более в вопросе, который он считал важным. Тут что-то не сходилось.

— Значит, надолго не прощаемся, — завершил Ильич.

Он поднялся и двинулся к выходу. Бык последовал за ним. На полпути Ильич остановился и повернулся к Храповицкому.

— А насчет того, что вы с бандитами не работаете, ты не прав, — заметил он. — Мы, кстати, таких слов не говорим. Бандиты те же люди. Просто живут по-другому. Коммерсант он вон тоже человек. Каждый свою работу делает. Ты один город держишь. Я — другой. Ты в моем городе хочешь работать. Я — в твоем. Нам все равно придется договариваться. Или воевать. А деньги, кстати, — это для меня не главное. — Он немного подумал и вдруг добавил: — И жизнь тоже не главное.

— А что же главное? — с издевкой спросил Виктор, до сих пор не сказавший ни слова.

— Как тебе объяснить? — усмехнулся Ильич. Глаза его при этом оставались холодными и враждебными. — Если я скажу, что честь главное, ты поймешь? А если не поймешь, то подумай, почему я двадцать лет в криминале и все еще живой. И к вам один приезжаю.

И он вышел, ни с кем не прощаясь.

Храповицкий подождал, пока за ним закроется дверь, и поднялся.

— Что ж, — невозмутимо сказал он. — Позвольте подвести итог нашей короткой, но содержательной встречи. Мы выяснили, что мы готовы убивать друг друга и что нас, похоже, ожидают осложнения с бандитами. В довершение всего какой-то уголовник щелкнул нас по носу, обвинив в отсутствии представлений о чести. Думаю, лучше на этом прерваться. И поразмыслить над всем происходящим.

4

— Ну и что ты обо всем этом думаешь? — с хитрым видом спросил меня Храповицкий, откидываясь на заднем сиденье, когда мы сели в машину. Меня поразило, что он выглядел чрезвычайно довольным, как будто только что провернул важную сделку. Я недоумевал.

— Если ты спрашиваешь меня о Викторе, — начал я осторожно, не понимая, куда он клонит, — то он действительно очень опасен. У него отказывают тормоза. Или уже отказали. Накопившиеся обиды на тебя и желание доказать тебе, что в бизнесе он соображает не хуже, толкнули его на сделку с Пономарем. А понимание того, что он нарушил договоренности и может быть изгнан из бизнеса, заставляет его продумывать самые крайние варианты. Даже не знаю, что тут посоветовать.

Храповицкий удовлетворенно усмехнулся и загадочно подмигнул. Видимо, он ждал такого ответа.

— А мы его переиграем! — вдруг весело заявил он.

— Каким образом? — удивился я.

— Очень просто. Смотри. С самого начала я нарочно нагнетал обстановку сегодня, чтобы их всех прорвало. Первым сломался Пономарь. Он предложил нам вступить в долю. Видно, это была их с Виктором домашняя заготовка, на случай моего давления. Теперь мы по-бандитски поймаем его на слове. Очень неохотно, вздыхая и ахая, мы согласимся. Мы будем делать вид, что ничего не ждем от этой сделки, кроме чудовищных убытков, и, лишь спасая наших неверных товарищей, идем на нее. В результате вместо тайного участия Виктора будет наше законное участие в этом бизнесе. Для этого нужно всего лишь провести переговоры с Виктором и Пономарем и заменить деньги Виктора деньгами фирмы.

— А Виктор на это пойдет? — спросил я с сомнением.

— А куда ему деваться? Я его сегодня дожал. Он произнес главное слово. «Убийство». Он готовился к войне. А я дал ему выпустить пар, причем при такой куче свидетелей. А для чего, по-твоему, я все это затеял? Для дележа, что ли? Ведь всем сказанным он теперь связан по

170

рукам и ногам. И когда он чуть опомнится, он будет на грани отчаяния. Потому что раскрыл свои карты. Проще говоря, проболтался. По сути, мы предлагаем ему идеальный выход: он остается в бизнесе, ему не нужно срочно убивать меня. Все-таки, согласись, это довольно хлопотно. Кроме того, его самолюбие будет удовлетворено тем, что мы признаем сделку интересной. В конце концов, можно что-то ему пообещать. Например, выделить этот завод в самостоятельное направление, которое он возглавит.

— Ты думаешь, он справится?

— Конечно, не справится! — Храповицкий даже удивился моему вопросу. — Но мы выиграем время. К тому же я сказал: пообещать. Между обещанием и исполнением всегда есть некая дистанция.

— А как быть с Ильичом?

— А с Ильичом надо договариваться, — ответил Храповицкий. — Он совсем неплохой бизнесмен и очень неглупый человек. Надеюсь, ты понял, что он приезжал вовсе не из-за Синего. Это был лишь предлог. Если бы он думал, что Пономарь или Плохиш причастны к убийству, то ни Пономаря, ни Плохиша сейчас бы на свете не было. И он нарочно продемонстрировал, что приехал не к Пономарю, а ко мне. Он хочет работать со мной. Пусть работает.

— Ты собираешься ему платить?

— Смотря за что. За «крышу» — нет. Я в ней не нуждаюсь. Что же касается деловых услуг, то какая разница, кому платить? Лишь бы был результат. Я просмотрел все документы по этому заводу. Сейчас он убыточный. Но там есть очень интересное экспортное производство азота, чья прибыль сейчас тонет в общих расходах. Его нужно сохранить, а от остального срочно избавиться. Прежние акционеры грызлись между собой, и никто не хотел вкладываться. Те, кто не смог договориться с Ильичом, продали свой пакет Пономарю и Виктору. Причем Виктор и Пономарь полезли туда нахрапом, как они привыкли работать в торговле. У одних они купили тридцать два процента и вели переговоры с другими о покупке еще двадцати. Вероятно, они надеялись, что Ильич не узнает. Что глупо. Поскольку он узнал. И сделка потеряла смысл. Потому что тридцать два процента — это все равно что ничего. По уставу права дает лишь контрольный пакет. В отличие от них мы договоримся с Ильичом. И он заставит своих акционеров продать долю, не достающую до контрольного пакета, после чего мы ставим своего директора. За это Ильич получает часть акций. Или, если захочет, деньгами. В результате — акции других владельцев превращаются в бумажки. В том числе и акции Пономаря. Который не сможет участвовать с нами на равных в дальнейшей покупке — денег не хватит. Я не собираюсь его выбрасывать, во всяком случае пока, но урок ему преподать следует. Пусть знает, кто в доме хозяин. Это, кстати, существенно ослабит их союз с Виктором. Виктор не станет отстаивать интересы Пономаря, когда речь пойдет о серьезной прибыли. А Пономарь будет считать его предателем, что полезно. Но это к слову. Дальше — понятный для нас процесс. Мы либо выкупаем оставшиеся акции за десять копеек, либо своим решением выводим экспортное производство в отдельное юридическое лицо, оставляя все остальное дерьмо мелким акционерам. При этом с Пономарем, с его шестнадцатью процентами, мы сможем поступить по своему усмотрению. Зависит от того, как он будет себя вести. Недурной план, а?! Поверь мне, через год-полтора мы продадим его в десять раз дороже. И за свой пакет Ильич, если согласится подождать, получит столько, сколько не стоит сейчас весь завод.

Он сиял от гордости.

— План великолепный. И я не сомневаюсь, что он у тебя получится. Но такой партнер, как Ильич, тебя не смущает?

Храповицкий пожал плечами.

— Если говорить о надежности, то он лучше Виктора. Если говорить о пользе, то тут вообще нет материала для сравнения. Такой партнер в наше время очень выгоден. И в Нижнеуральске, и у нас. Не роняя себя, мы получаем в союзники человека, который может решать самые разнообразные проблемы. Кстати, как ты думаешь, откуда Виктор знает о том, что произошло в Москве? И знает, кажется, довольно много.

— Ну, тут-то легко догадаться, — отозвался я, не задумываясь. — Скорее всего, он уже провел вечер с кем-то из девчонок, которые ездили с нами. Сходили в кабак, выпили, дал им денег. Меня больше интересует, как Ильич оказался в нужном месте в нужное время?

Храповицкий почесал затылок.

— Да, похоже, где-то у нас уходит информация, — признал он. — И с учетом всего происходящего это очень неприятно. Придется с этим разбираться. И тем более надо договариваться с Ильичом. Да, и еще, — вдруг добавил он после паузы. — Передай Плохишу, что я отказываюсь. Категорически. Во-первых, я действительно не готов заказывать убийство Виктора. А во-вторых, зачем мне в таких делах Плохиш? Готов поспорить, что Плохиш никогда не будет большим бандитом, как Пономарь никогда не будет большим бизнесменом. Один слишком жаден и трус, другой слишком безрассуден. Бизнес этого не терпит.

— Значит, ты поставил на Ильича, — произнес я вслух. — Между прочим, как мы его найдем?

— А мы и не будем его искать. Он сам нас найдет. Помяни мое слово.

Должен признать, что он оказался совершенно прав. Ильич нас нашел сам. И гораздо раньше, чем я думал.

5

При въезде в город я попрощался с Храповицким и пересел в свою машину.

Прямо у моих ворот стоял желтый «хендай» с выключенными фарами. Мое сердце замерло и выдержало деликатную паузу, ровно настолько, чтобы я задохнулся. А потом непоследовательно заколотилось. И дышать стало совсем невозможно.

Я закурил, чтобы выиграть время, подошел к ее машине, открыл дверцу и сказал:

— Привет. Рад тебя видеть.

Я надеялся, что ни походка, ни голос, ни лицо меня не выдавали. Наверное, напрасно надеялся.

— Я жду тебя два часа, — сказала она, стараясь улыбнуться. Кстати, у нее тоже ничего не получалось. — Твой охранник не пустил меня внутрь.

Мы прошли в дом, и я проводил ее в гостиную. Выглядела она ужасно, что я отметил с тайным злорадством. Лицо было осунувшимся и жалким. Хуже всего, что такой я любил ее еще больше.

— Выпьешь что-нибудь?

— Разве что чаю. Меня сегодня полдня допрашивали.

Эта последняя фраза, видимо, содержала особый смысл и скрытый призыв не упрекать ее в том, отчего ей и так плохо.

Самое поразительное заключалось в том, что это страдающее создание было в узком коротком платье стального цвета с черным воротником-стойкой. Когда она садилась, платье прикрывало ее длинные ноги в черных колготках ничуть не больше, чем если бы она его сразу снимала. Уверен, что перед тем, как ехать ко мне, она нарочно переоделась. Современные русские женщины, должно быть, даже отправляясь рожать, в первую очередь заботятся о том, чтобы выглядеть сексуально.

Не знаю, кого я ненавидел больше: ее — за то, что она так поступала со мной в минуту моих жгучих страданий, или себя — за то, что это на меня так действовало.

Я принес ей чай, жалея, что не могу влить туда яда, который переполнял меня до краев. Можно было, конечно, ее укусить, но это снизило бы высоту переживаний. Кроме того, я мог вцепиться не в то место, и тогда бог весть чем бы это все закончилось. Между тем я был настроен решительно.

— Отчим в ужасе, да? — спросила она, не поднимая на меня глаз. — Я его еще не видела. Побоялась.

Конечно, мне хотелось сказать да. Да, он не пляшет от радости. Представь себе. Странно, правда? Не поймешь этих политиков. А кое-кто, не имеющий отношения к политике, тебя бы вообще убил. Прямо сейчас. И это еще самое милосердное из того, что приходит кое-кому на ум.

Конечно, я ничего не сказал. Я великодушно молчал. В надежде, что так больнее.

— Мама мне никогда не простит, — опять заговорила она тихим, ломающимся голосом. — Она пожертвовала для его карьеры всем. Она всегда говорила, что в этом его жизнь. Да я и сама себе не прощу.

Кое-кто, между прочим, тоже не собирался ничего прощать. Можно было даже его не просить. Бесполезно. Он стоял, опершись на камин, и хранил мстительное молчание. Ах да, кое-кто еще старался сверлить ее спокойным ироничным взглядом, который она должна была чувствовать, хотя и не смотрела в его сторону.

Она вдруг всхлипнула, бросилась ко мне, вцепилась мне в плечи, зарылась лицом в грудь и расплакалась.

— Мне так плохо! — восклицала она. — Ну что мне делать, скажи! Это было три года назад! Я была пьяная. Я всех ненавидела! Я хотела сделать хуже себе. Он даже не знал, как меня зовут! Это было один раз! Один-единственный! Я месяц назад встретила его случайно в ресторане, даже не стала разговаривать. Сразу ушла! Ты же должен понять! Ну, пожалуйста, ну, пожалуйста...

Я чувствовал, как от ее слез моя рубашка становится мокрой. Я думал, что у меня сейчас разорвется сердце. Я хотел, чтобы оно разорвалось. Я любил ее. Не мог не любить.

И простить тоже не мог.

— Я не смогу, — сказал я хрипло, не своим голосом. — Извини.

Она зарыдала еще отчаяннее. Я все еще удерживался, чтобы не обнять ее.

— Наверное, причиной всему мое тупое мужское самолюбие, — продолжал я. — Хотя если бы я не обладал тупым мужским самолюбием, то, может быть, я жил бы со своей женой, а не сходил бы с ума от желания тебя прибить. Я не смогу встречаться с тобой тайно. Это как-то унизительно для обоих. Я не смогу появляться с тобой у моих друзей, которые все это знают. Хотя и они, и я каждый день делаем вещи, может быть, гораздо худшие. Но равенство полов в моем понимании существует только у гомосексуалистов. Я не смогу уехать с тобой куда-то, потому что не готов пожертвовать тем, чем я живу. Но самое главное, что я сам никогда не смогу об этом забыть.

— Значит, ты не женишься на мне? — Она подняла лицо и слабо улыбнулась сквозь слезы.

— Мне жена не разрешает, — ответил я машинально.

— Но провести со мною ночь ты хотя бы можешь? — Она теснее прижалась ко мне. — На прощание.

— Нет, — сказал я, чувствуя, как мои руки предательски скользят по ее спине вниз. — Не могу.

— Ну и не надо, — послушно согласилась она и потянулась ко мне губами.

Надо было убить ее сразу.

В два часа ночи я вспомнил, что забыл отпустить охрану. Я оделся и спустился вниз.

— Вид у вас какой-то усталый, — с притворным сочувствием заметил Гоша. — Может, не выспались?

— Молчи, змей, — сказал я, не то стыдясь, не то ликуя.

— Совсем себя не бережете, — вздохнул Гоша, садясь в машину. — Смотреть на вас больно.

ГЛАВА ДЕВЯТАЯ

1

Обычно я сплю чутко, как кошка, и вскакиваю от каждого шороха. Но в субботу я впервые за долгое время проснулся в одиннадцать часов утра. Что, в общем-то, было неудивительно, поскольку заснул я в семь. Удивительно было другое: то, что я не слышал, как она ушла. Ее не было в доме, как не было никаких следов ее присутствия. Даже чашка, из которой она вчера пила чай в гостиной, была вымыта и поставлена на место.

По станции я вызвал охранника на входе.

— Когда девушка уехала? — спросил я его, как только он, открыв дверь, просунул голову с простодушным, вечно заспанным лицом и приплюснутым носом.

— Рано утром. А че? Украла что-нибудь?

— Покой, — ответил я.

— Че? — не понял он. Он открыл дверь шире и шагнул внутрь, чтобы лучше слышать.

— Зачем же ты ее выпустил? — продолжал я допрос.

— А она не спрашивала. Она сказала «открой ворота», я и открыл. — Он в расстройстве почесал голову. — Я же не знал, что она что-то украла. С меня вычитать будете?

Я молчал, обдумывая, стоит ли с него вычитать, и что именно.

— А! — вдруг вспомнил он. — Так она же потом вернулась. — Ну, то есть сначала уехала, а потом это, вернулась. Просила вам передать кое-что. Может, как раз то, что взяла? Сказала, что не хочет вас беспокоить. А после опять уехала.

— Что передать-то? — воскликнул я, теряя терпение.

— Щас принесу.

Он исчез и вернулся через некоторое время, бережно держа в руках одну красную розу.

— Вот. А больше ничего у ней не было.

— А записки не передавала?

— Не. Она сказала, ты отдай шефу, а я еще сказал, может, вы сами отдадите, а она сказала, лучше ты отдай...

— Спасибо, — прервал я. — Мне почему-то кажется, что ты не пишешь стихов.

— Стихов? — переспросил он озадаченно. — Не. Не пишу. Так вы и не велели.

Я поставил розу в вазу с водой, потом позвонил Кулакову, сказал ему о завтрашней встрече у губернатора и пообещал заехать за ним и все объяснить по дороге. Потом я спустился в подвал, где у меня стоял большой металлический сейф. В сейфе обычно я держал около ста тысяч долларов наличными. Но в последнее время у меня были большие расходы, поэтому там оставалось только семьдесят.

Я честно взял половину, вздохнул и отправился одеваться. Пора было навестить бандитскую вдову, по совместительству узницу совести, которая, сама того не подозревая, взорвала всю политическую жизнь губернии.

В моей прежней квартире узница совести чувствовала себя совсем неплохо. Во всяком случае следов лишений на ее уже накрашенном лице не читалось. Когда я приехал, она сидела в гостиной в моем халате, пила чай, что-то делала со своими ногтями моими пилками и смотрела телевизор. Одновременно был включен музыкальный центр на полную мощность. Музыка грохотала так, что потолок подрагивал. Возможно, впрочем, потому, что в него колотили соседи, напоминая о своем существовании.

Я выключил звук и несколько секунд приходил в себя, наслаждаясь полной тишиной.

— Представляешь, твоя охрана не купила мне ананасы, — сразу начала она с упреков. — Я их просила, а они забыли. Между прочим, ананасы сжигают жир. Я же тут совсем не двигаюсь. А толстеть я не хочу. К тому же тут скучно. Из твоей домработницы слова не вытянешь. Ни одной кассеты с комедиями я не нашла. Квартира, правда, ничего. Целых две ванны. Я хотела бы, чтобы у меня была такая. Зато на кухне дует из окна. Кстати, я разбила чашку. Да, еще приходили агитаторы. Две какие-то тетки. Обещали талон на бесплатную помывку в бане, если я проголосую за Черносбруева. Тебе нужен талон на бесплатную помывку в бане?

Она принадлежала к тем женщинам, которые, где бы они ни появлялись, сразу заполняют собой все пространство. Так что вам, в конце концов, не остается места в вашей собственной жизни.

— Я думаю, тебе надо уехать, — сказал я, когда она, наконец, остановилась. — Месяца на три-четыре.

— Куда это я поеду? — спросила она подозрительно.

— В Москву, например. Ты говорила, у тебя там родственники.

— А жить я на что буду? На Тверской мне прикажешь подрабатывать?

Я положил на стол пластиковый пакет с пачками долларов.

— Думаю, на несколько месяцев тебе хватит.

Она заглянула внутрь и ахнула.

— Ух ты! Никогда столько денег не видела! Это что, все мне? А сколько здесь?

— Тридцать пять тысяч.

— Тридцать пять тысяч! — Она не верила своим ушам. Да мне на год хватит! Мне Синицин больше штуки отродясь не давал. А еще говорят, что бандиты щедрые.

— Моя охрана отвезет тебя в аэропорт. Лучше с этим не тянуть.

— А ты что, уже уходишь? Ой, я же тебя не поблагодарила! А мы что, больше не увидимся?!

Я от души надеялся, что нет. И не думайте, что мне было не жаль денег. Ужасно жаль. Просто если вы начинаете считать деньги, которые вы тратите на женщин, то закончите вы тем, что станете экономить на себе. А если вы экономите на себе, то какая разница между деньгами и выцветшими марками, которые коллекционируют безумные филателисты?

2

Телефон зазвонил, когда я выходил из подъезда.

— Здорово, братан! — услышал я жизнерадостный голос и невольно порадовался, что кому-то еще, кроме меня, сегодня хорошо. — Это Бык, узнал? Че делаешь? Коммерсантов прикручиваешь? Возьми в долю! Тебе самому, кстати, крыша не нужна? Есть один пацан подходящий. С самого утра дурью мается.

— У тебя, похоже, веселое настроение, — сказал я, гадая, откуда он мог узнать номер моего телефона.

— Я по жизни веселый. У меня работа такая. Или от мусоров гасишься, или на нарах паришься. Смешно, короче. Слушай, тут дело есть. Человек с тобой повидаться хочет.

— Какой человек? — не сразу понял я.

— Какой! Какой вчера был. Догнал? Давай словимся часов в шесть.

Очевидно, он искренне считал Ильича самым большим начальником в мире, от приглашений которого никто не был вправе уклониться. Я, собственно, и не собирался.

Поэтому в шесть часов я ждал его, сидя в машине, на перекрестке в спальном районе. Место выбирал он, я даже не помнил, когда заезжал сюда в последний раз. В начале седьмого появилась черная «Волга» с тонированными стеклами, из которой, к моему немалому удивлению, выскочил Бык. Он нырнул в мою машину и развалился на пассажирском месте.

— Ехай за драндулетом, — кивнул он на «Волгу», которая тронулась с места. — Там водила дорогу знает.

— Ни разу не видел, чтобы бандиты ездили на «Волгах», — заметил я с искренним изумлением.

— Не бандиты, а люди, — поправил он наставительно. — Бандиты — это мусора. Да у нас же порядки кто устанавливает? Сережа. Хуже, чем в армии, в натуре. Ему братва сколько «Мерседесов» передарила, спасу нет! А он только на «Волгах» ездит. Говорит, светиться не надо. Я-то последние два дня с ним мотаюсь. Рассекаю, понял, по жизни, как лох голимый. Хоть в багажник залезай, чтоб пацаны не увидели. Я ему говорю, слышь, Сереж, давай трамвайный парк прикрутим, вообще на трамваях ездить будем. Прикинь, в натуре, кругом пацаны на джипах, а мы с Серегой крутые такие, впереди на трамвае. На «стрелку», понял, едем.

Пока мы ехали, он с юмором жаловался на суровые нравы, которые железной рукой насаждал Ильич в своих бригадах. По его словам, за курение анаши Ильич самолично бил провинившегося пацана лопатой перед строем сочувствующих бандитов. Та же участь ждала тех, кто пьяный приезжал на «стрелки».

— Ладно, хоть за телок не гоняют, — заключил он горько. — А то, в натуре, хоть с коммерсантами живи. В «Волге», понял! На заднем сиденье.

Мы въехали на большую открытую стоянку, забитую автомобилями. Стоянка была обнесена сеткой и упиралась в глухую кирпичную стену серого двухэтажного здания. В стене была неприметная дверь, возле которой курили несколько человек бандитской наружности. При виде нас они молча расступились, и мы прошли в здание.

Внутри оно оказалось просторным и совсем не таким унылым, как выглядело снаружи. На первом этаже располагалась баня, большой бассейн с надувными матрацами, гостиная с камином и бильярдная. Мебель везде была дорогой и удобной. Бык провел меня в дальнее помещение, с барной стойкой, где за накрытым столом сидело несколько девиц, в черных коротких платьях, профессия которых безошибочно угадывалась с первого взгляда.

— Здорово, девчонки, — приветствовал их Бык. — Скучаете без нас?

— Скучаем, — вразнобой лениво отозвались девицы.

— Мы скоро придем, — пообещал Бык. — Вы пока раздевайтесь и в баню сходите.

— Ну как крысы? — деловито спросил он меня, когда мы поднимались на второй этаж.

— Хорошие телки, — одобрил я. — И место хорошее.

— У барыг за долги забрали, — похвастался Бык. — Они, слышь, для себя строили. По-человечьи все делали. А шалав Сережа велел специально для тебя привезти.

Я был польщен, хотя с трудом представлял, каким пыткам меня следовало подвергнуть, для того чтобы у меня возникло желание уединиться с кем-нибудь из расположившихся внизу гражданок.

На втором этаже располагались номера. В одном из них, состоявшем из спальни и большой гостиной, нас и ожидал Ильич, сидя в кресле. Мы церемонно поздоровались, я опустился в кресло напротив, а Бык уселся на диване.

— Удивляешься, зачем я тебя вызвал? — усмехнулся Ильич. Я вновь отметил, что его стальные глаза никогда не меняли своего холодного настороженного выражения. — Мне за тебя еще Синий, покойник, рассказывал, когда у вас «стрелка» случилась. Разговор у меня к тебе есть.

Я кивнул, теряясь в догадках.

— Постой, — спохватился он. — Может, ты сначала хочешь с девчонками развлечься?

— Спасибо. Я, признаться, редко бываю с проститутками.

— Ух ты! — искренне удивился он. — А что ж ты, с честными мутишься, что ли? С честными-то хуже. С ними же разговаривать надо. Я вообще не знаю, о чем с женщинами говорить. Ну, там, с женой еще понятно.

— А о чем ты говоришь с женой? — спросил я с любопытством. Он не производил впечатления разговорчивого человека.

— Ну как? — Он задумался, припоминая. — О разном. Ну, скажешь там: «Жена, принеси картошки». Или: «Слышь, я на «стрелку» поехал». Жена-то, считай, свой человек. Хотя, конечно, все равно баба.

Я подумал о том, что даже произнесенные подряд обе эти фразы вряд ли принесут вам ошеломляющий успех у противоположного пола. Надо было быть Ильичом, чтобы считать их образцом галантного общения. Разумеется, я деликатно промолчал.

— Короче, тут вот какой вопрос. — Отдав дань куртуазности, Ильич вернулся к интересующей его теме. — Ты вот мне скажи, как ты сам-то кубатуришь? — В его холодных глазах появилось пытливое выражение.

Я не имел ни малейшего понятия о том, как я сам кубатурю, поэтому уставился на него озадаченно.

— Не догоняешь?

— Нет, — признался я. — Не понимаю.

— А я так кубатурю, что скоро это все закончится, — произнес он со значением.

— Что закончится? — спросил я растерянно.

— Ну, все эти крыши-мыши. Стрелки-белки. Усекаешь? — Он не сводил с меня пытливых стальных глаз.

Конечно же, я не усекал. Манерой разговора он напоминал мне Савицкого, с тою лишь разницей, что Савицкий все-таки имел представление о русской грамматике. Но, не зная тонкостей устройства бандитской головы Ильича, я, разумеется, не догадывался, куда он клонит.

— Нельзя только забирать, — сказал он внушительно, как будто я лишь этим и занимался. — Надо что-то еще делать.

— А что еще делать? — спросили мы с Быком практически одновременно. Видимо, Бык тоже не усекал направление мыслей своего начальника.

— Надо дела делать, — туманно пояснил Ильич. — А я в делах плохо волоку. Конечно, коммерсантов много молодых. Которые поднимаются. Но с ними говорить — только время терять. Давай то отнимем, давай это. Отнимать я и без них могу. Только чем больше отнимаешь, тем больше врагов. И те злобятся, у кого отнимаешь, и те, кто отнимает, тоже недовольны. Дескать, рискуем мы, а получает все человек. А то, что без человека они никто, это им невдомек.

Меня позабавило, что о себе он говорил в третьем лице, именуя себя «человеком».

— Мне и своих-то трудно удерживать, — продолжал он со вздохом. — А тут еще весь этот ваш бизнес. Нужно, чтобы кто-то делами рулил. Кто-то умный. Чтоб деньги само собою шли, а я чтоб своим занимался.

Я, кажется, начинал постигать ход его мыслей.

— То есть ты хочешь, чтобы кто-то руководил бизнесом, который ты контролируешь? — уточнил я.

— Я тебе про то и толкую, — произнес он с удовлетворением. — Разборки, пальба, это — временно. Ну, год еще. Ну, два. А потом надо переходить на другое, если не хочешь, чтоб тебя самого завалили. Надо, чтобы кто-то был при делах. А я чтоб занырнул. Зачем мне светиться? Только мусоров дразнить. Поэтому надо нам вместе работать. С вами. Чтобы вы за дела отвечали, а я — по своей части.

— Ты делаешь нам предложение? — осведомился я, стараясь не показать изумления.

Он кивнул.

— Гляди еще что. Сейчас вы своего человека мэром ставите. Так? — Он усмехнулся, явно гордясь своей осведомленностью. — А летом у нас выборы. Я вообще-то в это не лезу. Не лез, — поправился он. — Но надо, чтобы мы в Нижнеуральске тоже вместе сработали. И нашего человека провели. Тогда все получится правильно. Этот завод азотный — мелочь по сравнению с другим. У нас тогда столько этих заводов будет! Мэр пусть своим делом занимается, политикой там, всякой ерундой. Под нашим, конечно, контролем. Вы — делами. А я по своей части. И не надо ни с кем воевать. Сами все отдадут. Догнал теперь?

Наверное, с его точки зрения, он делал чрезвычайно лестное предложение о сотрудничестве. Однако я не знал, как к нему отнесется Храповицкий.

— Хорошо, я передам, — сказал я, поднимаясь.

— Погоди, — остановил он меня жестом. — Еще вопрос есть. Посоветоваться надо.

Я вновь сел, ожидая продолжения.

— Плохиш к нам попросился. Чтобы от нас работать, — заявил он неожиданно.

— Когда же он успел? — удивился я.

— Он вообще-то давно заходы делал. А когда Синего убили, он аж с утра моих пацанов нашел. Стал просить со мной встречи. Я, конечно, отказался с ним сам разговаривать — Быка послал. Пускай Плохиш подождет, понервничает. Больше ценить будет. То, чего он хочет, мне понятно. Он азартный, на многое замахивается, а в одиночку сил не хватает. Да и нельзя «по понятиям» одному-то. Братва и так его собирается рвать. Потому что надо, чтобы человек от какого-то авторитета работал, а не сам по себе. А Пономарь — не авторитет. Самого его, может, и не тронут, он свое защищает, а Плохиша порвут. И все отберут у него. Мне вообще-то взять Плохиша тоже выгодно. С того, что у него и сейчас есть, он долю засылать будет. А с моей помощью он много чего еще натворить сможет. Немало можно под себя забрать. Немало.

Он медленно покивал головой.

— Так это Плохиш сообщил вам о нашей вчерашней встрече? — догадался я.

— А кто же еще! — радостно отозвался Бык. Ильич осек его взглядом, и он мгновенно захлопнул рот, понимая, что сболтнул лишнего.

— Номер моего телефона тоже он дал? — продолжал допытываться я.

Бык смущенно прокашлялся.

— Сами узнали, — нехотя сказал он, с опаской покосившись на Ильича.

— Какая разница! — перебил Ильич. — Тут дело в другом. Я вот думаю: а не он ли Синего убрал? Ну, например, чтобы его место занять? Как думаешь?

Предположение для меня было совершенно новым.

— Не знаю, — признался я. — Мне кажется, он слишком трусоват для этого.

— А вот поэтому я и думаю про него, — возразил Ильич веско. — Трусов, их никогда не угадаешь. Смелый человек — он по жизни предсказуемый. А трус со страху на все способен. Самые опасные враги — это трусы. И самые коварные. Они ведь к тому же никогда не признаются, что тебя ненавидят. Побоятся. А втайне обязательно что-нибудь тебе приготовят. И до последнего не узнаешь ничего.

— Слышь, Сереж, — вмешался Бык. — А может, это? На «глушняк», а?

— Кого на «глушняк»? — повернулся к нему Ильич.

— Да Плохиша-то! Раз — и все проблемы! И пацанам понравится.

— А кого я на место Синего поставлю? — недовольно осведомился Ильич.

— Да хоть кого! Кому скажешь, тот и будет работать. Делов-то — коммерсантов шкурить! Давай Плохиша на «глушняк»! Я лично все сделаю. — Бык заметно оживился.

— Да не поставишь ты бригадиром кого попало! — отрезал Ильич. — У нас и в Нижнеуральске-то толковых людей по пальцам пересчитаешь. А здесь другой город. Тут человек с головой нужен. А Плохиш — не дурак. Он далеко пойдет, если его поддержать.

— Не нравится он мне, — вздохнул Бык. — Больно крученый. И гнилой.

— При чем тут нравится или нет! Он не телка, чтобы нравиться. Мы о деле говорим, а не о том, с кем в баню сходить.

Он вновь обратился ко мне.

— Понимаешь, как-то странно все с Синим получилось. Не могу понять, кто решился. На меня никто не полезет. Ни из нашей области, ни из другой. Да и убили как-то не по-людски. Почему ножом? Почему он один был? Тут больше на бытовуху похоже. Я вот либо на Плохиша грешу, либо на девку, с которой Синий жил. Она, говорят, перекрученная вся. Могла на сторону сходить. Вот кто-то из ее любовников, допустим, и совершил. От кого Синий и не ждал ничего.

— Она, сука, где-то прячется, — хлопнул себя кулаком по колену Бык. — А то бы мы из нее быстро все вытрясли. За ноги бы подвесили, через пять минут уже все бы рассказала.

В душе я порадовался, что Света вместо того чтобы пребывать в натруженных руках Быка, в перевернутом состоянии, подвешенной за ноги уже, наверное, тратит в Москве мои деньги.

— Бытовое преступление будет легче раскрыть, — сказал я, уводя его от неприятной мне темы. — Думаю, в любом случае что-то прояснится в ближайшее время. А с Плохишом у тебя действительно может получиться совсем недурной вариант.

— Нельзя его только близко подпускать, — задумчиво заметил Ильич. — На расстоянии надо держать. Пусть вон Бык с ним общается.

— Вот нашел ты мне другана! — обиделся Бык.

— Да брось ты! — хлопнул его по плечу Ильич. — Нормальный пацан. Хотя и тварь, конечно.

Он вновь повернулся ко мне.

— А Храповицкому своему скажи, что надо нам вместе по жизни быть. Он пацан неглупый, сам должен такие вещи понимать. Со мной он быстро своим партнерам холки переломает. Он, конечно, и так переломает. Но со мной быстрее будет. Так и передай.

Я пообещал и встал. Ильич тоже поднялся.

— Может, останешься? — предложил он.

Я сослался на дела, и после недолгих уговоров Ильич меня отпустил.

— Эх, — вздохнул он. — Уехал бы я тоже от этих шалав. Да неудобно как-то. Все-таки уже заплачено.

Он, несомненно, был рачительным хозяином.

3

Сказать, что Кулаков был упрям как баран, означает незаслуженно оскорбить кроткое домашнее животное. В воскресенье я битый час ерзал в доме Кулакова по неудобной деревянной скамье, пытаясь внушить ему, как следует вести себя на переговорах с губернатором. Баран понял бы меня быстрее.

Проблема заключалась в том, что я не мог открывать Кулакову всей правды — как-никак это были не мои тайны. Я ограничился сообщением о том, что возникли некие обстоятельства, которые, став достоянием гласности, могут помешать губернатору в его политической карьере.

А поскольку губернатор уверен, что именно от Кулакова зависит, узнает ли широкая общественность об этих обстоятельствах или нет, то он, губернатор, готов пойти на существенные уступки. И ждет встречных шагов.

Встречных шагов губернатор ждал напрасно.

— Но это же шантаж! — горячился Кулаков. — Ты меня втягиваешь в какую-то интригу! Я не желаю иметь с этим ничего общего!

— Это я втягиваю вас в интриги? — с горечью возражал я. — Может быть, это я мечтаю стать мэром? Чтобы всю оставшуюся жизнь посвятить ремонту канализации? Посмотрите на меня. Я похож на человека, который мечтает чинить канализацию?

— А при чем тут это? — озадаченно спрашивал он.

— При том, — терпеливо объяснял я прописные истины, — что политика есть искусство компромисса. И если смысл вашей жизни заключается в вывозе мусора и латании крыш, то окажите небольшую услугу губернатору. А он сделает то же для вас. А потом занимайтесь чем хотите. Хоть поселитесь в этих ваших трубопроводах.

— Какую услугу может мне оказать этот человек? — спрашивал он подозрительно. — Перестать поливать меня грязью? Да плевать я на это хотел!

— Например, снять Черносбруева с выборов.

— Да я не хочу, чтоб его снимали! — взрывался Кулаков. — Я готов идти до конца. И побеждать честно. А потом мне не нравится, что со мной играют втемную! Я хочу понимать, что происходит. Я имею на это право!

И все начиналось сначала. После долгого ожесточенного сопротивления он, наконец, сдался. Пригрозив мне, что если что-то пойдет не так, то он, Кулаков, тут же выйдет из игры.

Видя его настрой, я даже не стал заикаться о компенсации наших расходов, это могло лишь все испортить. Не то чтобы я беспечно относился к деньгам Храповицкого, просто полагал, что по ходу встречи что-нибудь само собою придумается.

Всю дорогу к губернатору Кулаков дулся и молчал. Было очевидно, что происходящее ему страшно не нравится, и, если бы не я, он ни за что не стал бы в этом участвовать.

Губернатор жил за городом, в красивом трехэтажном доме, живописно расположенном на берегу реки. Дом окружал огромный ухоженный парк, не менее двух гектаров, с аллеями, выложенными плитами, изящными деревянными беседками и небольшим декоративным прудом. По всей территории росли высокие, старые сосны. Участок был обнесен фигурной изгородью и охранялся не менее чем дюжиной людей в камуфляже.

Храповицкий приехал чуть раньше нас — он жил неподалеку. Нас встретила горничная и провела в элегантную гостиную со стилизованной под старину мебелью. Храповицкий и Лисецкий сидели в удобных глубоких креслах и церемонно пили чай. Храповицкий на сей раз был в строгом костюме и галстуке. Губернатор — в халате, одетом поверх брюк и рубашки.

На диване располагалась жена губернатора, видимо, она куда-то собиралась, поскольку одета была для выхода. Обстановка выглядела совсем домашней и мирной.

При виде Кулакова губернатор поднялся и раскрыл объятия.

— Давно мы не виделись, Борис Михайлович! — радостно загудел он, тиская Кулакова. — Ты что-то не заходишь ко мне! Я уж было решил, что ты обиделся.

— Да вы как-то не очень и приглашаете, — мрачно сказал Кулаков, вяло отвечая на губернаторскую ласку.

— Не знала, что вы такие друзья, — ехидно заметила жена губернатора.

Лисецкий сверкнул на нее негодующим взглядом. В ответ она дерзко засмеялась и встала.

— Ну, не буду вам мешать. Надеюсь, еще увидимся.

Она поцеловалась со мной и вышла, заговорщицки подмигнув мне на прощание.

— Присаживайся, Борис Михайлович, — продолжал Лисецкий все тем же тоном деланого радушия. — Что будешь пить. Чай, кофе? А может, коньяка?

— Спасибо, я уж так как-нибудь, — отрывисто сказал Кулаков, опускаясь на диван.

Я сел рядом с ним.

Было ясно, что подыгрывать губернатору он не собирается. Атмосфера создавалась не самая благожелательная. Поскольку мы с Храповицким деликатно молчали, повисла неловкая пауза.

— Ну что, — заговорил Лисецкий чуть более обыденно. — Кто начнет?

— Собственно, ситуация в общих чертах ясна, — осторожно пришел я на помощь Кулакову, который не мог начать в силу того, что знал о происходящем меньше всех. — Остается обсудить детали.

Вряд ли кому-нибудь, кроме меня, ситуация была ясна. Что же касается деталей, то даже я не имел о них четкого представления, надеясь на импровизацию.

— Значит, твое требование заключается в том, чтобы мы прекратили войну и помогли тебе на выборах, сняв Черносбруева? Так? — холодно осведомился губернатор. Теперь он перешел к сухой манере разговора и подобрался.

Кулаков не нашел ничего лучше, как сердито уставиться на меня. Я понял, что, если немедленно не вмешаюсь, он наговорит чего-нибудь лишнего. Этого нельзя было допустить.

— Требование снять Черносбруева мне, как и вам, кажется излишне жестким, — лицемерно сообщил я. — Но Борис Михайлович на нем настаивает. Он считает, что так будет лучше.

Кому именно будет лучше, я объяснять не стал. Кулаков фыркнул, но промолчал. Я готов был его убить. Храповицкий пил чай и всем своим видом выражал вежливую отстраненность. Но по короткому острому взгляду, брошенному в мою сторону, я понял, что он начал о чем-то догадываться.

— Ну, может быть, оно не такое уж жесткое, — снисходительно возразил мне губернатор. — При условии, что Борис Михайлович окажет мне ответную любезность.

Неприметно для себя он переключился с Кулакова на меня и теперь вел переговоры со мной. Это было не очень удобно, потому что с одной стороны до меня доносилось злобное сопение Кулакова, который еле сдерживался, чтобы не высказать все, что он думает, с другой стороны я кожей чувствовал нараставшую подозрительность Храповицкого.

— О какой услуге речь? — осведомился Кулаков.

— Мне не хотелось бы, чтобы мы с Борисом Михайловичем столкнулись на губернаторских выборах в следующем году, — по-прежнему обращаясь ко мне, пояснил Лисецкий. — Я, конечно, никогда не уклоняюсь от открытой борьбы. Но мне кажется, мы можем обойтись без этого. Если Борис Михайлович готов меня поддержать... — Он не договорил и перевел взгляд на Кулакова.

— И какая же поддержка от меня требуется? — спросил Кулаков грубовато.

— Ну, например, завтра мы можем дать совместную пресс-конференцию. Сказать о том, что в результате наших с тобой совместных усилий отныне не будет противоречий между городом и областью. Что мы готовы во всем помогать друг другу. Развивать плодотворное сотрудничество и работать на благо людей. А на следующей неделе, когда состоится празднование дня города, мы вместе выйдем на городскую площадь во время концерта. Обнимемся. Обратимся к людям. Может быть, споем вместе что-нибудь.

Чувствовалось, что губернатор основательно продумал свои условия. Не зная реакции Кулакова, я замер. Он молчал минут пять, не меньше.

Губернатор смотрел на него выжидательно и напряженно. Храповицкий увлеченно изучал рисунок обоев. Я вспотел. Наконец, Кулаков неохотно кивнул.

— Ладно, — проговорил он сквозь зубы. — Будем считать, что в этом вопросе мы договорились.

Лисецкий с явным облегчением откинулся в кресле. Я понял, что результат превзошел его ожидания, и тоже перевел дыхание. Впрочем, в отличие от Лисецкого, я праздновал преждевременно. Теперь была партия Храповицкого.

— Есть еще одно обстоятельство, — бесцветным голосом проговорил Храповицкий. Все повернулись в его сторону. Он сидел, ни на кого не глядя. — Я хотел бы понять, в чем заключаются мои интересы.

Я понимал, что если он скажет хоть слово о деньгах, то все полетит к черту. Поскольку торговаться с ним Кулаков ни за что не станет. Я с ужасом ждал продолжения. Но Храповицкий был слишком умен, чтобы этого не понимать. Начав, он совсем не собирался продолжать, предоставив это остальным. Он невозмутимо отпил чай.

— Думаю, к этому разговору я готов, — медленно заговорил Кулаков. — У меня есть предложение. Я хотел бы, чтобы Андрей, то есть Андрей Дмитриевич, — поспешно поправился он, — перешел ко мне на работу. Моим первым заместителем. Главой администрации города.

Я, кажется, подпрыгнул от неожиданности. Теперь все уставились на меня.

— Это как-то... довольно внезапно... — пробормотал я растерянно.

Губернатор наморщил лоб и поджал губы.

— А что? — вдруг подхватил он. — По-моему, мысль неплохая. Пора тебе, Решетов, расти. Парень ты способный. Надо начинать политическую карьеру.

— Я, в общем-то, не очень готов. Я никогда не думал в этом направлении... — Я все еще не мог прийти в себя от потрясения.

Лицо Лисецкого изобразило недовольство. Он не понимал, как кто-то может отказываться от политической карьеры.

— Ну, не всю же жизнь ты собираешься служить частному капиталу, — строго произнес он. — Как говорится, наворовал, пора и о Родине подумать.

Мне тут же захотелось спросить его, как именно в результате дум о Родине появляются на свет поместья, подобные тому, в котором он жил. Но я не стал этого делать.

— Ты сам-то согласен? — обратился ко мне Кулаков.

— Не знаю.

Я и правда не знал.

— Я не согласен, — вдруг твердо заявил Храповицкий. — Я хорошо знаком с Андреем и, надеюсь, могу считаться его другом. Он не чиновник по своему характеру. Ему и у меня-то порой нелегко, а у вас он и вовсе задохнется. Хорошо, если через какое-то время он просто уйдет, не хлопнув на прощание дверью. В результате я потеряю дельного помощника, а вы не приобретете нужного заместителя. Если вы готовы работать с кем-то из моих людей, я бы лучше рекомендовал на эту должность Павла Сырцова. Вы должны его помнить, он управляет моим банком. Разумеется, я гарантирую и его лояльность, и его порядочность. В любом случае вы вольны уволить его в любую минуту.

— Мне бы все-таки хотелось, чтобы это был Андрей, — упрямо повторил Кулаков.

— Андрей вполне может остаться связующим звеном между вами и нами. Так будет лучше для обеих сторон, поверьте. К тому же, не завися от вас, он принесет вам больше пользы. Я ведь вовсе не ищу вашей дружбы. — Храповицкий тонко улыбнулся.

— Не хочешь отдавать парня? — засмеялся Лисецкий. — Может, и правильно. Но ты зря противишься, Борис Михайлович. Сырцов — это отличная кандидатура. Он разбирается в экономике. К тому же Володя прав: в нем больше чиновничьего.

— Я подумаю, — хмуро пообещал Кулаков. Он был разочарован.

— Мне бы хотелось, чтобы мы пришли к какому-то результату сейчас, не откладывая, — вкрадчиво заметил Храповицкий. — Мне не хотелось бы давить на вас, Борис Михайлович, для этого я слишком хорошо знаю ваш независимый характер. Но я люблю ясность.

Он не собирался уступать. Он собирался давить.

Кулаков тяжело вздохнул.

— Хорошо, — сказал он недовольно. — Пусть будет Сырцов. Хотя по мне лучше Решетов.

— Ну вот и договорились, — обрадовался губернатор. — Главное — это уметь понимать друг друга. Значит, пресс-конференция завтра в десять. У меня. Нет возражений?

Кулаков кивнул, все еще хмурясь.

— Остался один вопрос, — продолжал Лисецкий. — Как нам быть с Черносбруевым? Я его вызвал сюда.

Он встал с кресла и подошел к окну. — А вот и он. Уже приехал. Ждет на улице.

— Ну уж от этого вы меня избавьте, — сердито поднялся Кулаков.

— Нет, нет, — заторопился губернатор. — Ты должен присутствовать при разговоре, Борис Михайлович. Я хочу, чтобы все было по-честному.

— Честнее не бывает, — проворчал Кулаков.

4

Губернатор вышел и через пару минут вернулся вместе с Черносбруевым. Тот, видимо, был польщен неожиданным вызовом, потому что вошел сияя.

— А, и вы здесь! — радостно начал он, обращаясь к Храповицкому и мне. Но тут взгляд его наткнулся на Кулакова, и он осекся. Он остановился посреди комнаты, не зная, что делать дальше. Глаза его заметались, пытаясь прочесть на наших лицах разгадку происходящего. Кулаков тоже набычился.

— Да ты проходи, не стесняйся, — подталкивал его сзади губернатор.

Опасливо косясь на Кулакова, Черносбруев сделал несколько осторожных шагов и присел на краешек стула, поодаль. Он был очень встревожен. Словно не обращая на это внимания, губернатор вернулся к своему креслу и устроился поудобнее.

— Ну что, Александр Григорьевич, — ласково заговорил губернатор, закидывая ногу на ногу. — Мы тут долго совещались, взвешивали все за и против и пришли к единому мнению. Надеюсь, ты нас поддержишь.

— К какому мнению? — выдавил из себя Черносбруев. Любезность губернатора явно не сулила ему ничего хорошего, но в худшее он еще не верил. Я заметил, как полированная поверхность стола вспотела под ладонями Черносбруева.

— Ты должен снять свою кандидатуру с выборов! — торжественно объявил губернатор. — Так надо для общего дела, — добавил он уже прозаичнее.

В Черносбруева словно выстрелили. Он побледнел, лицо его исказилось, глаза испуганно округлились.

— То есть как это снять? — пролепетал он. — Зачем?

— Ну, как люди снимаются, — добродушно принялся объяснять губернатор. — Выступишь по телевизору, скажешь, что проанализировал ситуацию и пришел к выводу, что наиболее достойной кандидатурой на пост мэра города является Борис Михайлович Кулаков. Поэтому ты отказываешься от дальнейшего участия и призываешь своих сторонников его поддержать.

— Это невозможно, — заикаясь, проговорил Черносбруев. — Я этого не сделаю. Никогда...

— Сделаешь, — зловеще улыбнулся ему губернатор. — Так надо. Поверь мне.

Я готов был поклясться, что губернатор наслаждался этим моментом. В его тоне и жестах было нечто плотоядное. Он явно растягивал удовольствие.

Я не любил Черносбруева, я все это затеял, но мне было до смерти его жаль. Причем мне показалось, что даже во взгляде Кулакова мелькнуло что-то похожее на сочувствие. Только Храповицкий сохранял невозмутимость.

— А что же я скажу людям? — Голос Черносбруева упал до шепота.

— Каким людям? — спросил губернатор с любопытством.

— Людям, — настойчиво пробормотал Черносбруев. — Друзьям... Избирателям.

— Эх, куда тебя понесло! — хмыкнул Лисецкий. — Это политика, мой дорогой. Большая политика. При чем тут люди? Это ты на собраниях рассказывай, что ты о них заботишься. А нам — не надо. Через два месяца люди

194

забудут о тебе. Им наплевать на нас. А нам — соответственно на них. Так что давай разговаривать как взрослые люди. Конечно, это не самое легкое решение. Но повторяю, так необходимо поступить ради общего дела. Политик должен быть гибким. У тебя сейчас есть редкая возможность доказать всем, что ты обладаешь необходимыми для большого политика качествами.

Губы Черносбруева затряслись. Он хотел что-то сказать и не смог. Губернатор еще немного полюбовался его лицом, потом продолжил.

— Я понимаю, что оставаться в прежней должности ты уже не сможешь. С Борисом Михайловичем вы не сработаетесь. Мы готовы подыскать тебе новое место.

— Я не хочу нового места! — закричал Черносбруев, вскакивая. — Мне не нужно новое место! Я не откажусь от борьбы! За что вы со мной так поступаете?

Он обвел нас взглядом, в котором стояли слезы. Его редкие волосы как-то жалобно прилипли к черепу. Никто ему не ответил.

— Вы предатели! — выкрикнул Черносбруев беспомощно. — Вы сами меня в это втравили! Вы меня уговаривали. А теперь бросаете! Я не буду сниматься! Не буду! — Голос его сорвался. — Вы мне сердце растоптали, — добавил он вдруг. И повернувшись, выбежал из комнаты.

С минуту все молчали. Сцена произвела на меня тягостное впечатление.

— Да, все-таки политика — это наркотик, — как будто про себя заметил губернатор, качая головой. — Кто раз попробовал — уже не бросит. Ну, ничего. К завтрашнему дню опомнится. И все сделает как надо.

— Это точно, — улыбнулся Храповицкий. — Куда он без наших денег денется?

— Ты, кстати, подстрахуйся, — спохватился губернатор. — Отдай распоряжение насчет этих фотографий. Ну, чтобы их не было... А то как бы Черносбруев не натворил в сердцах глупостей.

— Уже отдал, — опять улыбнулся Храповицкий.

— Вот видишь, — повернулся Лисецкий к Кулакову. — Я все сделал по-честному. Чтобы у тебя не оставалось никаких сомнений. Жду того же и от тебя. — Он замялся и сменил тон. — А по поводу этой... как ее... ну, которая угрожает... шантажистки... ты там тоже реши вопрос. — Он поморщился. — Дай ей там денег. Тысяч десять долларов. Думаю, ей за глаза хватит. И пусть она куда-нибудь уедет. Чтоб ее здесь не было. Ни к чему это нам сейчас... Согласен?

Кулаков открыл было рот, но я пихнул его в бок.

— Забудьте об этом, — сказал я губернатору. — Как говорит мой начальник, уже сделано.

5

— Мне надо с тобой поговорить, — обратился ко мне Храповицкий, когда мы втроем вышли на улицу. Его тон не предвещал ничего хорошего.

Я простился с Кулаковым и покорно сел в машину Храповицкого, махнув своей охране, чтобы следовала за нами.

Храповицкий устроился рядом и закурил, что бывало с ним редко. Я понял, что игры закончились. Все будет очень серьезно.

— Значит, это ты заварил всю кашу, — произнес он утвердительно, когда мы тронулись.

По его обвинительному, не терпящему возражений тону было понятно, что отпираться бесполезно. Я, тем не менее, сделал слабую попытку.

— Ты преувеличиваешь мои скромные возможности. Все-таки в событиях принимали участие другие люди, и постарше меня, и поглавнее...

— Как говорит наш друг Пономарь, ты лохов разводи на «стрелках», — решительно перебил меня Храповицкий. — Я считал, что своим отношением к тебе я заслужил право на откровенность.

— Извини, — сказал я виновато.

— Не принимается, — отрезал он. — Между прочим, ты очень рискованно играешь. Если рассматривать в целом всю затеянную тобой интригу, то шансы были пятьдесят на пятьдесят. Я, разумеется, не знаю подробностей, но не думаю, что ошибаюсь. Сегодня тебе повезло, ты выиграл. Всем сестрам досталось по серьгам, и даже я получил кольцо в нос. Но ты пробежал по лезвию. В бизнесе такой риск недопустим. Это безумие. Я считаю себя очень азартным человеком, но если по моей оценке зона риска составляет больше двадцати пяти процентов, я отказываюсь от участия в предприятии, каким бы выгодным оно ни казалось. Ибо это уже не бизнес, а авантюра.

— Наверное, ты прав, — пробормотал я. Я не хотел раздражать его еще больше.

— Конечно, я прав. И результат, которого я достиг в жизни, — лучшее тому доказательство. Но это так, мелочи. Заметки на полях. Важно другое. Попробуй-ка объяснить мне в понятных мне категориях, чего ради ты пошел на такой риск? Что заставило тебя поставить под удар нашу дружбу, нашу работу, свое будущее, весь наш бизнес? Ведь, надеюсь, ты понимаешь, что все это не шутки. И ты рисковал не только своими деньгами и своей карьерой, на что ты, возможно, имел право. Ты поставил на кон мои деньги и мою карьеру. А это, ты уж не обижайся, гораздо более серьезная ставка. Ради чего? Ради случайной девчонки, с которой ты переспал? Или ради Кулакова, который тебе даже не родственник и который не будет тебе благодарен? По сути, ты меня предал. Эту простую вещь, я надеюсь, ты понимаешь?

Я избегал смотреть на него. Я понимал его правоту, и это никак не улучшало моего самочувствия.

— Володя, — заговорил я, с трудом подбирая слова. — Я был уверен, что не причиню тебе вреда. Что сумею сделать так, как лучше будет всем.

— Опять не принимается, — холодно отозвался он. — Ты не думал обо мне в ту минуту. Ты думал о себе. Мы оба это знаем.

— Ну хорошо, — согласился я. — Пусть даже так. Но пойми, я не мог допустить публикации этих фотографий. Это было как-то... как-то не по-человечески, что ли...

— То есть, — сухо подытожил Храповицкий, — ты решил, что я поступаю безнравственно. И пошел против меня? Так? А теперь послушай, что я скажу. Я даже не стану рассуждать о том, нравственно или нет предавать проверенного друга ради случайных в твоей жизни людей. Я не моралист. Не моя тема. Я — о другом. Я неплохо к тебе отношусь и пытаюсь научить тебя быть успешным. Так вот запомни: сначала бизнес, а потом чувства. Это залог успеха. Ты хочешь помогать людям? Добейся прежде успеха. Став неудачником, ты сам нуждаешься в помощи. Ты начинаешь зависеть от людей, которых считаешь безнравственными. Кроме того, и Кулаков, и твоя девушка, и все остальные тут же отвернутся от тебя, как только ты станешь неудачником. Неудачникам нужны успешные люди. Им не нужны неудачники. А если ты будешь так рисковать, то рано или поздно ты проиграешь. Гораздо быстрее, чем ты надеешься. В мире есть много того, чего я не одобряю. Но если я хочу что-то изменить, я должен добиться такой возможности. Оставаясь внизу, я могу лишь терпеть. Это понятно?

Я молча кивнул.

— Ты знаешь, почему я не отпустил тебя к Кулакову? — вдруг сменил он тему. — Не из-за того, что мне не хотелось с тобой расставаться. Не из-за себя. Из-за тебя. Ты не готов. Ты не умеешь управлять своими чувствами. Сегодня ты решил, что я поступаю безнравственно. А завтра, начав работать с Кулаковым, ты придешь к выводу, что он вовсе не такой порядочный, как тебе казался. Что ты о нем знаешь? Ничего. И ты сделаешь что-то, что он не одобрит. И в отличие от меня он тебе не простит. Нет, Андрей, дело не во мне. И не в Кулакове. Дело в тебе. Если ты не научишься подчинять свое своеволие общим целям, ты останешься за бортом. И еще одно. Ты можешь назвать цену успеха?

Поскольку моего ответа явно не предполагалось, я вздохнул и промолчал.

— Цена успеха — это одиночество, — продолжал Храповицкий. Он говорил спокойно и внятно, как будто вслух произносил то, о чем давно думал. — И чем выше ты поднимаешься по лестнице успеха, тем более одиноким человеком ты становишься. Потому что между тобой и другими людьми возникает все увеличивающаяся дистанция. Ты никогда не сможешь понять: они любят тебя самого или атрибуты твоего успеха? Хуже всего, что они сами не знают ответа на этот вопрос. Поскольку одно неотделимо от другого. Будь ты другим, ты бы остался внизу. Но ведь ты не хочешь оставаться внизу. Ты должен быть готов к одиночеству. Нельзя привязываться к людям. Это уже зависимость от них. Жалеть их, может быть, и следует. Но не влюбляться в них. Не позволять им управлять твоей жизнью. Губернатор окружен толпой, но он одинок. Президент еще более одинок. А полное одиночество — это одиночество Того, кто все это сотворил.

Я, наконец, не выдержал. Все время, пока он говорил, я давал себе слово молчать. Но тема, которую он затронул, была предметом моего давнего и мучительного несогласия с ним. Рано или поздно следовало объясниться.

— Давай определим понятия, — предложил я. — Ты все время употребляешь слово «успех». Что ты имеешь в виду? Деньги? Карьеру? Власть?

— И то, и другое, и третье, — кивнул он. — Все вместе.

— Но тогда получается, что смысл нашей жизни заключается в деньгах, карьере и власти. На это, по-твоему, мы должны употребить свою силу? А ведь мы сильнее других, верно? Много ли нас, сильных? В губернии, в стране, во всем мире? Десять тысяч человек? Миллион? Капля в море, в любом случае! И что такое наша сила? Что-то, что было дано нам при рождении, чего мы, может быть, не заслужили. Она досталась нам, а могла так же случайно достаться кому-то еще, кто по своим нравственным качествам, может статься, гораздо лучше нас. Мы не прилагали усилий, чтобы ее получить. Это как дар. И раз уж ты заговорил высоким стилем, то неужели ты всерьез думаешь, что Творцу интересно смотреть, как мы тратим свою силу на то, чтобы заработать денег или стать чиновниками? Он видел диктаторов, он видел сказочных богачей, какими мы никогда не будем. Он видел крайние выражения успеха, он не мог дать нам этот дар, чтобы мы повторяли чей-то опыт. Ведь если посмотреть сверху, то, как бы мы ни карабкались, мы все равно остаемся внизу. Нам не стать чингисханами или крезами. Так стоит ли стараться?

— А для чего же, по-твоему, стоит стараться? — насмешливо осведомился Храповицкий.

— Тебе не приходило в голову, что раз уж мы созданы сильными, то мы должны защищать слабых? — выпалил я.

Храповицкий фыркнул.

— Я думал, ты взрослее, — сказал он. — Слабые не стоят того, чтобы их защищали. С таким же успехом можно бороться за права кроликов. Те хотя бы пушистые. Слабый человек предаст тебя в любую минуту, не потому, что он подлый, а потому, что слабый. И он не может терпеть. Он думает, что ему больнее, чем тебе. Ведь ты сильный, ты даже не заметишь. Слабый человек не испытывает благодарности. Слабый неспособен на настоящий поступок. Слабый человек — это размазня. Слабых большинство, и они не умеют любить даже друг друга. Раз уж ты собрался кому-то помогать — помогай сильным. Я всегда играю на сильной стороне. И всегда выигрываю. Мне нравятся сильные люди. Они мне понятны. Только это твое слово — «сильный». Я предпочитаю другое. Мы — хищники, Андрей. Не забывай об этом. Мы благородны, потому что хищники всегда благородны. И мы не жестоки, поскольку хищники не бывают жестокими. Они не мучают, не терзают, как поступают слабые люди. Когда они кого-то съедают, они просто повинуются своему инстинкту. А ты собираешься воевать со своим инстинктом. Будучи хищником, ты хочешь жить в крольчатнике. Или, точнее, в свинарнике. Поскольку единственное, что умеют слабые люди, — это превращать все вокруг себя в свинарник. И если ты не остановишься, ты не только проиграешь. Ты обрекаешь себя на чудовищное разочарование. Может, на душевную травму. Подумай об этом. И считай, что я сделал тебе последнее предупреждение. Другого не будет.

6

Когда я ехал домой, мне позвонил Кулаков.

— Мы как-то сразу разъехались после встречи, — сказал он. — Даже поговорить не успели. Я все-таки хотел кое-что выяснить. Можешь сейчас приехать ко мне домой?

Честно говоря, я был уже болен от всех последних бесед и встреч. Мне уже не хотелось ничего выяснять. Мне хотелось чего-то простого и бездумного. Как огурец.

Но если уж мне предстояло выпить эту чашу до дна, лучше было сделать это залпом. И через полчаса я сидел у него все на той же неудобной скамье.

— Ну что, не надумал еще ко мне идти? — спросил он с тяжеловесной шутливостью. После встречи у губернатора он явно не испытывал облегчения. Скорее выглядел несколько подавленным.

— Я очень благодарен вам за предложение. Должен признать, оно в вашем духе. Совершенно неожиданное. Но, боюсь, я не готов отказаться от всего, к чему привык. От своего беспутного образа жизни, от дорогих привычек, от женщин, в конце концов. Все это плохо вписывается в стезю провинциального чиновника.

Он внимательно посмотрел на меня, пожал плечами и ничего не ответил. Потом сменил тему.

— Я не прошу тебя рассказать о том, что именно ты сделал для того, чтобы губернатор в одночасье превратился из хозяина жизни в просителя. Пусть это останется твоей тайной. Но можешь ты объяснить мне другое? — Он задумчиво потер лоб. — Это очень важно для меня. Видишь ли, все, что произошло, заставило меня на многое посмотреть иначе. На свою семью, на самого себя. На то, чем я жил раньше. Я все равно уже не буду прежним. Что-то переменилось во мне.

Он прервался и некоторое время хмуро смотрел перед собой.

— И все-таки есть то, чего я не понимаю. А хотел бы понять. Скажи, почему Наталья сделала это именно сейчас? Я имею в виду с фотографиями? Я бы понял, если бы это произошло раньше, когда у нас не складывались отношения. Но в последнее время, мне казалось, что-то стало налаживаться. Мы вроде бы начали слышать друг друга. И вдруг... Я даже еще не встречался с ней. Не знаю, как себя вести.

— Я уже говорил вам, что это было давно. Он, похоже, долго не знал, кто она на самом деле. Может быть, он выяснил это месяц назад, когда они случайно встретились. Я говорю, разумеется, с ее слов. Но я ей верю.

— Понятно, — сказал он задумчиво. — Это многое объясняет. Многое.

Его тон был каким-то странным и почему-то мне не очень нравился, хотя я пока и не понимал почему.

— Что именно объясняет? — спросил я.

Вместо ответа он налил мне чаю из белого фарфорового чайника и бросил пару кусков сахара, хотя я и не просил.

— А насчет того, что не хочешь ко мне идти, ты, может, и прав, — неожиданно заявил он с бодростью. — Может, и прав. — Повторил он поучительно, подняв указательный палец. — Потому что лучше сначала разобраться в человеке. Понять его. Чтобы потом не чувствовать себя обманутым.

— Вы как-то загадочно выражаетесь, — заметил я.

— Могу и проще. Для того тебя и позвал. Вопрос, готов ли ты?

— Разве это имеет значение? — поинтересовался я с иронией — Человек обычно делится своими секретами, когда ему хочется. А не тогда, когда хочется окружающим.

Он не ответил. Затем приподнялся, неуклюже выбрался из-за стола и прошелся по комнате, заложив руки за спину и опустив голову. Видно, он что-то обдумывал. Возле стены он остановился и шумно выдохнул, как перед рюмкой водки.

— Это ведь я Синего зарезал, — вдруг будично объявил он, не глядя на меня.

— То есть как это вы? — оторопел я. — Зачем?!

Я не верил своим ушам.

— Да так. Ножом. Как свинью режут. — Он говорил отрывисто, не повышая голоса. Я не видел его лица и не мог догадаться о его выражении. — Никто не знает об этом. Ты теперь знаешь. И теперь тебе решать, расскажешь ты об этом кому-то или нет.

Он тяжело повернулся ко мне и посмотрел мне прямо в глаза с каким-то напряженным вызовом.

— Сам же ведь я себе приговор не вынесу, так? — проговорил он жестко. — Придется уж это тебе делать. Раз ты столько сил положил, чтобы меня вытащить.

— Как же это получилось? — пробормотал я, оглушенный.

— Как? — Он опять сел за стол, но не напротив меня, а поодаль, наискосок и обхватил голову руками. — Хотел бы я сам понять как.

Некоторое время он сидел, слегка раскачиваясь из стороны в сторону, словно забыв обо мне.

— Как-то все быстро произошло, — заговорил он. — Может быть, ничего бы и не случилось, если бы время было другое. А тут выборы, война. Нервы на пределе. Я ведь хоть и не показывал никому, даже с женой старался не распускаться, а внутри-то все кипело. Как будто это было вопросом жизни и смерти: останусь я мэром или нет.

Он побарабанил пальцами по столу и уставился куда-то поверх моей головы.

— А вот сейчас, после того... короче, после всего этого, я думаю. Какая же, думаю, полная чушь, все эти выборы. И жизнь, и смерть, они, знаешь, к выборам отношения не имеют. И к карьере тоже не имеют. Нет тут общего. — Он опять сделал паузу. Я слушал, не перебивая, чувствуя непрерывную сухость в горле.

— Началось все недели три назад. Стал мне кто-то названивать. Домой. Номер моего домашнего телефона отыскать несложно, хотя он ни в каких списках не значится. Милиция следит за этим. Но многим людям почему-то важно знать домашние телефоны разных начальников. Даже если они никогда по ним не звонят. Это им значимости придает. Ну вот, стал мне звонить этот уголовник. Что уголовник, я, конечно, с первой фразы догадался. Знаешь, такой особенный развязный выговор. Все эти словечки похабные. Дескать, надо встретиться. Есть материалы про вашу дочь. Посмотрите своими глазами. Может, столкуемся. В общем, обычный шантаж. Меня, знаешь ли, ни разу в жизни не шантажировали. Даже не пытались. Да мне и скрывать нечего было. А тут... Прямо воняло от этих разговоров. И так мне противно сделалось, что сначала я только трубку бросал. Не хотел говорить с ним. Я и не верил ему особенно. Ну какие там могли быть материалы? Я вроде все про нее знаю. Ну, задерживала ее милиция за вождение в нетрезвом виде. Ну, может, встречалась не с тем. Что еще? Не воровка же. Не наркоманка. А он не отставал. Мол, есть фотографии. Лучше вам их сначала увидеть. А то, мол, и другие найдутся, кто захочет их купить... Я бы, может, так и не стал с ним встречаться, если бы не эти публикации про меня каждый день в ваших газетах. Дай-ка, думаю, посмотрю, какую еще гадость мне приготовили. Послать его подальше я всегда успею. В общем, как раз в тот день, когда ты ко мне приезжал, мы договорились встретиться. Я почему тогда такой взвинченный был. Я не знал, может, вы одна шайка. Всего же можно ожидать. Не получается одолеть меня по-честному, решили уголовника подослать. И как ты уехал, я отправился в штаб. А встретиться с ним мы договорились в двенадцать ночи. Раньше я не мог. Не получалось у меня. На каком-то пустыре возле стоянки, место уже он выбирал. Сам. И потребовал, чтобы никого со мной не было. Ни охраны, ни водителя. Только он и я. Видать, боялся, что ли? Хотя чего, не пойму? Может, думал, я его в милицию сдам. Из штаба я уехал часов в одиннадцать, народ еще там оставался. Водитель меня домой отвез, и я его отпустил. Потом пересел в свою машину. Я ее редко беру, служебной пользуюсь, она и стоит у меня в гараже. Жена, конечно, ни о чем не спрашивала, она привыкла, что я в своем режиме живу. Ночь-заполночь, сел-поехал.

Он вновь встал и опять прошелся по комнате.

— А дальше — ты не поверишь. Минут за десять все произошло. Мы съехались на этом пустыре. Темно, народу никого. Я еще порадовался, что нож из кабинета захватил. Мне же полно всякого оружия дарят на праздники. Обычай такой. Тот еще в ножнах был, в кожаных. Я потому его и выбрал, что в ножнах, он карман не порвет. Встретились мы с этим уголовником. И, знаешь, сразу он мне не понравился. С первого взгляда. Зализанный, наглый. Подонок, одно слово. Мразь. Залезли в его машину. Он боялся, что в своей я записывать его буду. И разговор такой поганый. Дескать, вы мэр, у вас всего много. Вы поможете нам, мы поможем вам. Я не выдержал и спрашиваю, кто это «вы»? Ты уж, милок, объясни, чьи интересы представляешь. А он так, знаешь, скользко: ну, какая разница. Такие же люди, как и остальные. В общем, я понял, что бандиты загоняют меня под крышу. Меня. Кулакова. Который всю жизнь эту падаль на дух не переносил. Значит, теперь они будут мной командовать. Объяснять мне, что делать. Я ему говорю, ты материалы-то свои покажи, а то, может, зря время теряем. И тут он достал эти фотографии...

По тому, как переменилось лицо Кулакова, я видел, что даже сейчас ему невыносимо вспоминать об этом. Мгновение он стоял, стиснув зубы, на его скулах играли желваки. Потом он справился с собой.

— Может, я старый уже. Может, я чего не понимаю, — заговорил он хрипло. — Но, когда я весь этот смрад увидел, у меня в глазах все потемнело. Думал, меня удар хватит. Спрашиваю, сколько ты за них хочешь. А он, так усмехаясь, мне не надо денег. Дескать, давайте дружить, а там разберемся. Короче, капкан мне ставят. На всю жизнь. Всю жизнь меня теперь доить будут и этой гадостью пугать. Вам с Храповицким город я не отдал. Губернатору не отдал. От всех отбился. А теперь отдам уголовникам. И главное, я вижу, что он, гад, на этих фотографиях. То есть, представляешь, каким подонком надо быть, чтобы все это подстроить. И девчонку заманить, и самому сняться. И потом еще шантажировать. Я как пьяный был. Захолонуло. Вылез из машины на свежий воздух, чтобы сознание не потерять. Отдышался. Говорю, ладно, дай подумать. А он за мной вылез. И так он смотрел на меня презрительно, я тебе передать не могу. Как будто я весь теперь у него в руках. Со всеми потрохами. Думай, говорит мне. На «ты». Думай, только недолго. И добавил с наглой улыбочкой, я его слова точно запомнил. Я, говорит, тебя не напрягаю, ты сам скажи, завтра ответишь или послезавтра.

Кулаков шумно выдохнул.

— В общем, это его последние слова и были. На меня как нашло. Сначала я его в живот ножом саданул. А как он падать стал, еще раз его на нож поймал. Вот так, Андрюша. Ну а дальше, собственно, и рассказывать нечего. Взял тряпку, протер что можно в его машине. Забрал эти фотографии и уехал. Нож по дороге в реку выбросил, специально крюк сделал. А фотографии и тряпку облил бензином и сжег. А уж когда мне на следующее утро из милиции позвонили, я понял, что у него несколько экземпляров было.

— Ну вот, — заключил он. — Теперь ты все знаешь. Вот и решай: пойти ко мне работать или в милицию на меня заявлять. Только вот еще что. Прежде, чем решишь. Если бы это еще раз случилось, я бы опять так же сделал. Точно тебе говорю.

Я поднялся на ватных ногах и сделал несколько шагов к двери. Он смотрел на меня и ждал.

— Что ж, ты так и уйдешь, ничего не сказав? — наконец спросил он.

— Вы извините, — сказал я, стараясь не смотреть на него. — Я, наверное, не выспался. Устал я что-то.

Я чувствовал себя совершенно разбитым. Как после того давнего, юношеского турнира по боксу.

С тою только разницей, что как будто я его проиграл.

Кирилл Шелестов
УКРОТИТЕЛЬ КРОЛИКОВ
Роман

Редактор-консультант
Лена Бруни

Верстка
Кирилл Лачугин

Корректор
Лия Кройтман

ISBN 5-8159-0608-5

9 785815 906082

Издатель Ирина Евг. Богат
Свидетельство о регистрации
77 № 006722212 от 12.10.2004

121069, Москва, Столовый переулок, 4, офис 9
*(Рядом с Никитскими Воротами,
отдельный вход в арке)*

Тел.: 291-12-17, 258-69-10. Факс: 258-69-09
Наш сайт: www.zakharov.ru
E-mail: info@zakharov.ru

Подписано в печать 20.04.2006. Формат 84×108¹/₃₂.
Гарнитура Таймс. Печать офсетная. Бумага писчая. Усл. печ. л. 10,92.
Тираж 10 000 экз. Изд. № 608. Заказ № 328.

Отпечатано с готовых диапозитивов
в ОАО «ИПП «Уральский рабочий»
620219, Екатеринбург, ул. Тургенева, 13.
http://www.uralprint.ru e-mail: book@uralprint.ru

Наши книги можно купить:

В Москве:
Книжный магазин «Москва»
ул. Тверская, д. 8 стр. 1

Московский Дом Книги
ул. Новый Арбат, д. 8

Торговый Дом «Библио-Глобус»
ул. Мясницкая, д. 6/3 стр. 5

«Молодая Гвардия»
ул Б. Полянка, д. 28

Книжная лавка при Литературном
Институте им. М. Горького
Тверской бульвар, д. 25

Ярмарка в СК «Олимпийский»
Олимпийский проспект, д. 16
торговая точка №180 (3 этаж)

В Петербурге:
Дом Книги
Невский проспект, д. 62

Магазин «Гулливер»
Проспект Обуховской
обороны, д. 103

Сеть магазинов «Буквоед»
www.bookvoed.ru

**В Сибири и на Дальнем
Востоке:**
«Топ-книга»
www.top-kniga.ru

На территории Украины:
Издательство «Арий»
Киев, проспект 50-летия
Октября, д. 2Б

**На территории США и
Канады:**
Petropol, Inc. 1428 Beacon Street
Brookline, MA 02446
www.petropol.com

Онлайн магазины:
www.bolero.ru
www.ozon.ru

В Волгограде:
«Учебная и деловая книга»
Проспект Ленина, д. 75

В Воронеже:
Сеть «Книжный мир семьи»
www.kmsvrn.ru

В Екатеринбурге:
Дом Книги
ул. А.Валека, д. 12

«У-Фактория»
Проспект Ленина д. 49

В Нижнем Новгороде:
Дом Книги
ул. Советская д. 14А

«Нижегородское Книжное
Издательство»
ул.Октябрьской
революции, д. 12

В Ростове-на-Дону:
Сеть магазинов «Магистр»
www.booka.ru

В Рязани:
«Барс» Супермаркеты
«Книги»
Московское шоссе, д. 51
ул. Есенина, д. 13 Г

В Самаре:
Магазин «Пиквик»
ул. Куйбышева. д. 95

Книготорговая фирма
«Чакона»
www.chaconne.ru

В Смоленске:
Магазин «Кругозор»
ул.Октябрьской революции,
д.13

В Уфе:
Сеть магазинов «Планета»
ул. Ленина, д. 20
ул. Кувыкина, д. 14